pasta

Pappardelle caprese, pág. 28

Pasta fresca con frijoles, pág. 50

Ravioli con pesto de aceituna pág. 90

Penne con queso gorgonzola, pág. 166

Farfalle con chícharos y jamón, pág. 198

Spaghetti con albóndigas, pág. 306

Spaghetti con atún y alcaparras, pág. 286

Spaghetti picante con pancetta y cebolla, pág. 278

Spaghetti integral con calabacitas y pimiento, pág. 25

CARLA BARDI

pasta

DELICIOSAS RECETAS PARA UNA VIDA SALUDABLE

Editores Anne McRae, Marco Nardi

Importado y publicado en México en 2011 por / Imported and published in Mexico in 2011 by: Advanced Marketing, S. de R.L. de C.V. Calz. San Fco. Cuautlalpan no. 102 Bodega D, Col. San Fco. Cuautlalpan, Naucalpan, Edo. de México, C.P. 53569

Fabricado e impreso en China en Mayo 2011 por / Manufactured and printed in China on May 2011 by: C&C Offset Printing Co., Ltd.
14/F C&C Building, 36 Ting Lai Road, Tai Po, N.T., Hong Kong, China.

Título Original / Original Title: Pasta
Traducción: Laura Cordera L., Concepción O. de Jourdain y Esmeralda Brinn

Director de Proyecto Anne McRae
Director de Arte Marco Nardi
Fotografía Brent Parker Jones (RRPHOTOSTUDIO)
Texto Carla Bardi

Edición Lesley Robb
Estilista de Alimentos Lee Blaylock, Michelle Finn
Estilista Lee Blaycock
Preparación de Alimentos Michelle Finn, Sebastian Sedlack
Diseño de Distribución Aurora Granata
Preimpresión Filippo Delle Monache, Davide Gasparri

NOTA PARA NUESTROS LECTORES
Al consumir huevos o claras de huevo que no estén totalmente cocidos tiene el riesgo de contraer salmonelosis o envenenamiento por alimentos. Este riesgo es mayor en mujeres embarazadas, personas de la tercera edad, niños pequeños y personas con sistema inmunológico débil. Si esto le causa preocupación, puede utilizar claras de huevo en polvo o huevos pasteurizados.

ISBN: 978-607-404-522-2

11 10 9 8 7 6 5 4 3 2 1

Contenido

Introducción

La pasta es un platillo clave en la súper saludable dieta mediterránea. Ya sea acompañada con verduras frescas o salteadas, mariscos, aceite de oliva extra virgen o con un toque de queso parmesano rallado; la pasta proporciona importantes nutrientes al mismo tiempo que aporta sabor y energía.

A casi todo el mundo le encanta la pasta, por lo que es un alimento perfecto tanto para comidas familiares como para recibir visitas. Se puede adaptar fácilmente a cada estación del año. En verano son ideales las ensaladas de pasta fría, en invierno las lasagnas o pastas al horno. Es versátil y muchos platillos pueden prepararse con anticipación para servirse fríos o cocinarse rápidamente cuando se necesite. Y, para aquellos que cuidan su gasto, recuerden que incluso las mejores marcas importadas son accesibles para el presupuesto promedio de una familia.

En este libro hemos elegido más de 140 recetas clásicas y modernas del repertorio italiano. En el primer capítulo hemos incluido instrucciones para preparar pasta fresca en casa. Sin embargo, nuestras recetas también están pensadas para que pueda comprar pasta fresca y servirla acompañada con las salsas que sugerimos. Aquí encontrará una enorme gama de exquisitos platillos hechos a base de pasta, con opciones para todo tipo de ocasión. Buon appetito!

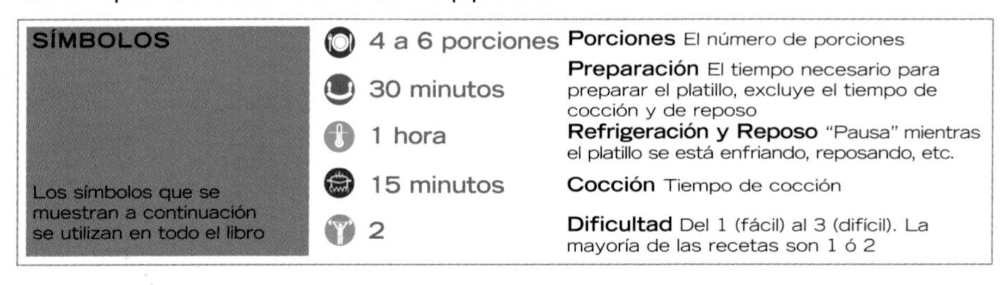

página opuesta: farfalle con chícharos y jamón, pág. 198

eligiendo un platillo de pasta

Este libro contiene más de 140 recetas para preparar deliciosas pastas - hay un platillo para cada quien y para todo tipo de ocasión. pero, ¿qué sucede cuando cuenta con poco tiempo o pocos ingredientes en el refrigerador? la sección FÁCIL Y RÁPIDO que presentamos a continuación solucionará el primer problema y la guía SÓLO UNOS CUANTOS INGREDIENTES de la página 14 solucionará el segundo. ¿Busca un platillo clásico favorito? Vea nuestras sugerencias CLÁSICAS. también vea nuestras recomendaciones de BAJO COSTO, RETADORAS, OPCIONES SALUDABLES Y SELECCIONES DEL EDITOR.

FÁCIL Y RÁPIDO

spaghetti con jitomate y limón amarillo, pág. 254

pasta con jitomate, queso ricotta y pesto, pág. 144

penne con queso ricotta, calabacita y naranja, pág. 154

ruote con pesto y jitomates cereza, pág. 152

tagliolini con pesto de almendras y albahaca, pág. 32

ravioli con pesto de aceitunas, pág. 90

fusilli con frijoles y pesto, pág. 150

BAJO COSTO

maccheroni con salsa de cebolla, pág. 138

fusilli frío con jitomate y cebolla, pág. 120

spaghetti hecho en casa con salsa de jitomate y ajo, pág. 56

bucatini con jitomates, almendras y pan frito, pág. 274

spaghetti con limón amarillo y aceitunas, pág. 232

RETADORAS

budines fritos de spaghetti, pág. 312

pappardelle con ragú de pato, pág. 72

spaghetti integral con ragú picante de jitomate, pág. 52

lasagna con albóndigas, pág. 108

lasagna con calabaza de invierno, pág. 110

SÓLO UNOS CUANTOS INGREDIENTES

pappardelle con romero, pág. 30

spaghetti hecho en casa con ajo y aceite, pág. 54

tagliatelle con salsa de jitomate asado, pág. 40

spaghetti con calabacitas, pág. 246

spaghetti con quesos ricotta y pecorino, pág. 226

OPCIONES SALUDABLES

spaghetti integral con verduras de verano, pág. 256

pizzocheri con col, pág. 104

penne con jitomates cereza, pág. 140

farfalle con camarones y pesto, pág. 178

ensalada de pasta con atún y aceitunas, pág. 128

CLÁSICAS

cannelloni rellenos de espinaca y ricotta con salsa de jitomate, pág. 214

linguine con pesto, papas y ejotes, pág. 240

spaghetti con almejas, pág. 288

bucatini con salsa amatriciana, pág. 272

spaghetti con tinta de calamar, pág. 284

SELECCIONES DEL EDITOR

cuadros de pasta con jitomate y pancetta, pág. 34

ensalada de pasta con queso mozzarella miniatura y jitomates, pág. 124

pilas de lasagna con pesto, pág. 106

penne con pez espada y salmón, pág. 188

fusilli con tortitas de pescado, 184

penne con jitomates y queso de cabra, pág. 156

spaghetti con pimiento y pancetta, 260

imperia
MADE IN ITALY DAL 1932

Pasta Fresca Hecha en Casa

pasta fresca:
sólo huevo y harina

Preparar pasta en casa es mucho más sencillo de lo que usted se puede imaginar. En este capítulo explicamos cómo preparar la masa para pasta y cómo pasarla por una máquina para obtener el grosor deseado. Para aquellos que no cuentan con una máquina para pasta, y que no son muy perfeccionistas, también explicamos cómo amasar la pasta a mano. Cortar la pasta es fácil y aquí explicamos la manera de hacerlo a mano o con ayuda de una máquina.

Con su delicada textura y sabor, la pasta hecha en casa es un producto único que requiere de atención y cuidado especial. Lo primero que notará es que aún cuando usted prepare pasta con frecuencia, habrá días cuando requerirá menos harina o tenga que amasar más, y otras pequeñas variaciones en el método básico. Incluso cambios pequeños en la temperatura y la humedad en el ambiente, o hasta su propio estado de ánimo, pueden afectar el resultado. Por esta razón, sugerimos que siempre la mezcle y amase a mano, aunque posteriormente utilice una máquina para extenderla y cortarla. Esto le permitirá adaptar la masa cada vez que la prepare, corrigiendo la cantidad de harina o huevos y juzgando el tiempo requerido para amasar.

La pasta simple se elabora a base de harina de trigo simple sin blanquear, pero también se pueden utilizar otras clases de harina. Cada una requerirá su cantidad específica de agua; revise la tabla de cantidades en la siguiente página y ajuste mientras trabaja. El tiempo necesario para amasar también podrá variar dependiendo de la harina que utilice. La harina de trigo suave contiene menos gluten y lleva más tiempo amasarla, que, por lo general, es de aproximadamente 20 minutos. La harina de trigo duro tarda aproximadamente la mitad de ese tiempo.

En lo que se refiere a las cantidades, usted debe calcular aproximadamente 100 g (3 ½ oz) de pasta fresca por persona. Cada porción contiene 100 g (3⅓ oz) de harina y un huevo grande (a medida que la pasta se seca, ésta perderá un poco de peso). En Italia, en donde se come pasta a diario, se sirve como primer plato seguida por un segundo plato sustancioso. Si va a servir pasta como plato principal, puede incrementar las cantidades.

Siempre cocine la pasta fresca en una olla grande con agua hirviendo con sal. Por cada 100 g (3 ½ oz) de pasta, debe añadir 4 tazas (1 litro) de agua y 1 ½ cucharadita de sal de mar gruesa. Si la pasta fresca se ha resecado demasiado, es mejor agregar la sal después de la pasta, cuando el agua haya vuelto a hervir. Los tiempos de cocción dependen de la forma y grosor de la pasta. La pasta de listón sencilla, preparada con el nivel más delgado de la máquina, requerirá tan sólo de 2 minutos de cocción. La pasta más gruesa o la pasta rellena, como los tortellini, requerirán algunos minutos más.

Muchos tipos de pasta se pueden congelar. Coloque nidos de listones de pasta o piezas de pasta rellena sobre una charola grande, dejando una buena separación entre ellos, y congele. Pase la pasta a bolsas en cuanto esté congelada y selle. La pasta rellena con papa no debe congelarse. La pasta horneada puede prepararse hasta un momento antes de meterse al horno. Para descongelarla, retire del congelador y hornee en el horno caliente durante 30 minutos.

Masa	Harina simple	Otras harinas	Huevos	Agua	Otros ingredientes	Sal
Pasta fresca simple	$2\frac{2}{3}$ tazas (400 g)		4			
Durum o pasta de trigo duro		$2\frac{2}{3}$ tazas (400 g) de durum o trigo duro		$1\frac{1}{4}$ taza/ 300 ml		
Durum o pasta de trigo duro y huevo	$1\frac{1}{3}$ taza (200 g)	$1\frac{1}{3}$ taza (200 g) de durum o trigo duro	4			
Ravioli	$2\frac{1}{3}$ tazas (350 g)		3	2 cucharadas		
Pasta integral	$1\frac{1}{3}$ taza (200 g)	$1\frac{1}{3}$ taza (200 g) de harina integral	4			
Pasta de castaña	2 tazas (300 g)	$\frac{2}{3}$ taza (100 g) de castañas	2	4 cucharadas		1 pizca
Pasta de trigo negro		2 tazas (300 g) de trigo negro y $\frac{2}{3}$ taza (100 g) de durum o trigo duro		200 ml		
Pasta de color (jitomate, espinaca, acelgas, etc.)	$2\frac{1}{3}$ tazas (350 g)		3		$\frac{1}{3}$ taza (50 g) de puré	1 pizca
Pasta aromática (café, chocolate, etc.)		$2\frac{1}{3}$ tazas (350 g)		4	$\frac{1}{3}$ taza (50 g) de hierbas molidas o en polvo	
Pasta negra	$2\frac{2}{3}$ tazas (400 g)		3		1 cucharadita de tinta de calamar (aproximadamente 3 sacos)	

Nota: Si prefiere preparar pasta integral, de color, aromática o de cualquier otro tipo, utilice los ingredientes con las cantidades proporcionadas y siga las instrucciones en las siguientes páginas. Obtendrá aproximadamente 400 g (14 oz) de pasta, suficiente para 4 porciones.

preparando la masa para pasta

La pasta fresca simple se elabora a base de una sencilla mezcla hecha con harina y huevos amasada artesanalmente. En Italia se utiliza harina de trigo suave tipo "O". En otras partes del mundo puede utilizarse harina blanca simple. La pasta fresca también se puede elaborar a base de trigo duro, trigo negro o sarraceno, castañas y otros tipos de harina, y los huevos pueden reemplazarse con agua, aceite o leche. Sin importar los ingredientes que elija, el método básico siempre es el mismo.

INGREDIENTES

2⅔ tazas (400 g) de harina simple
4 huevos grandes frescos

HUEVOS

Utilice siempre huevos muy frescos. Deben estar a temperatura ambiente. Todas las recetas en este libro requieren huevos grandes (60 g/2 oz).

1. Cierna la harina sobre una superficie de trabajo (preferentemente de madera) limpia y haga un pequeño montículo. Haga un hueco o fuente en el centro.
2. Utilice un tenedor para batir ligeramente los huevos en un tazón pequeño. Vierta los huevos batidos dentro de la fuente en la harina.

3. Utilice un tenedor para incorporar gradualmente la harina y los huevos. Tenga cuidado de no romper la barrera de harina para que no se escurran los huevos.

4. Cuando la mayor parte de la harina se haya absorbido, utilice sus manos y una espátula para pasta, si la tiene, para juntar toda la masa y darle forma de bola.

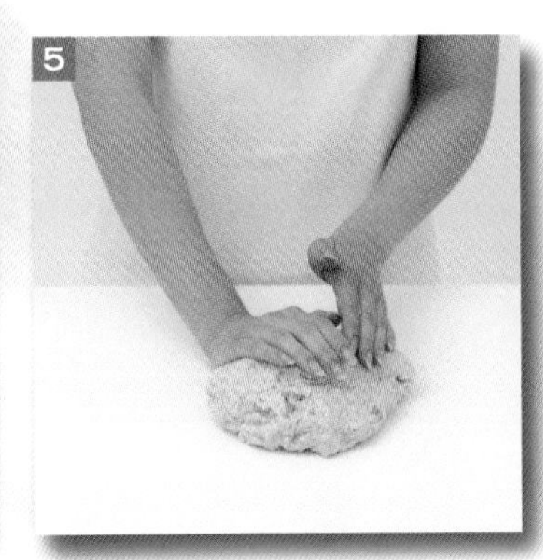

5. Lave y seque sus manos y comience a amasar. Coloque la masa sobre una superficie de trabajo limpia. Al principio tendrá una textura dura y granulosa.

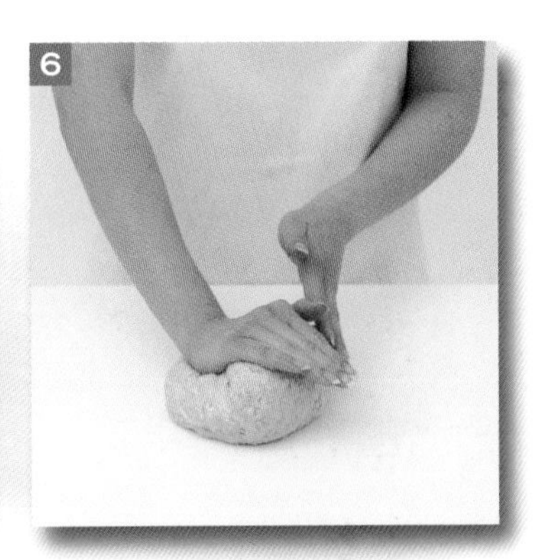

6. Amase presionando la bola de pasta hacia abajo y hacia enfrente con la palma de su mano. Doble la masa a la mitad, gire un cuarto de vuelta y repita la operación.

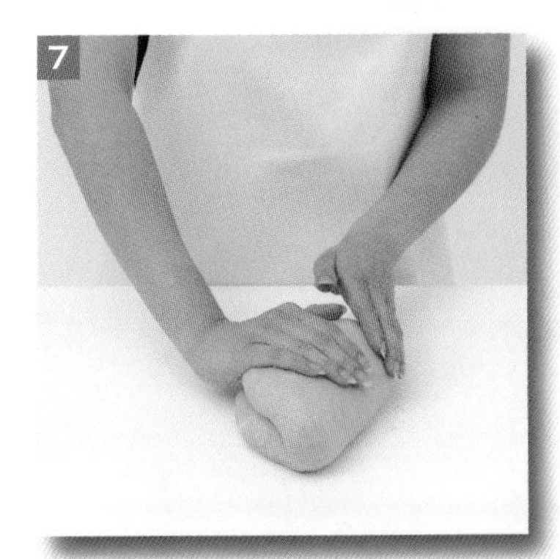

7. Mientras trabaja, la masa adquirirá una consistencia más tersa. El calor de sus manos y el ritmo que se produce al amasar crea una proteína generadora de gluten, la cual otorga a la pasta su textura especial.

TIEMPO REQUERIDO PARA AMASAR

Esto depende de: 1) el tipo de harina; 2) la habilidad para amasar; 3) la temperatura y la humedad en el ambiente. La masa de trigo suave generalmente tarda 20 minutos, mientras que una masa mixta de trigo duro y suave requiere 15 minutos y la masa de trigo duro, 10 minutos.

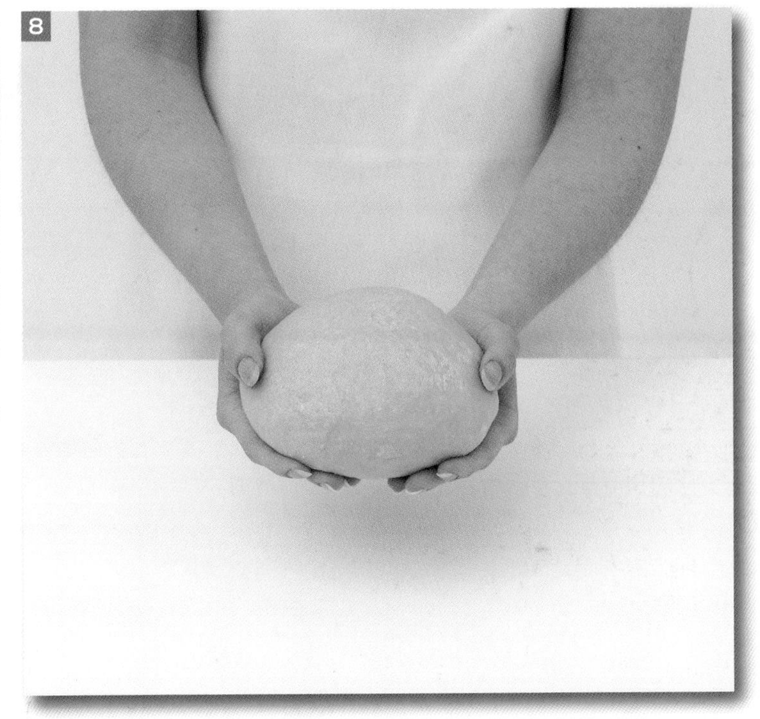

8. Después de 10 ó 20 minutos (dependiendo de la harina utilizada), la masa deberá tener una textura suave y sedosa, con pequeñas burbujas de aire visibles en la superficie. Envuelva la masa en plástico adherente y deje reposar durante 30 minutos.

extendiendo y cortando la masa para pasta con máquina

Si va a preparar pasta sencilla de listón, como un fettuccine o una lasagna, pase todas las láminas a través de la máquina varias veces comenzando en el grosor más alto y cambie consecutivamente a un grosor menor. Esto dará tiempo a la masa de secarse un poco antes de pasar al siguiente grosor. Si prepara pasta rellena, como ravioli, procese una lámina de pasta a la vez hasta el nivel más delgado y elabore los ravioli antes de procesar la siguiente lámina. Esto sirve para evitar que la pasta se seque demasiado.

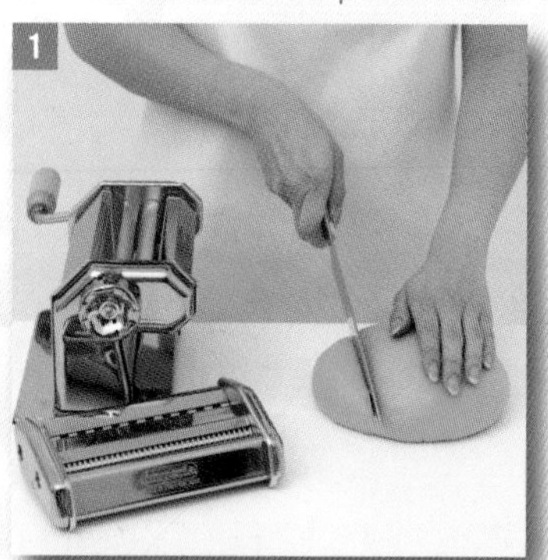

1. Divida la masa en 5 ó 6 piezas (para 400 g/14 oz de pasta, suficiente para 4 personas).

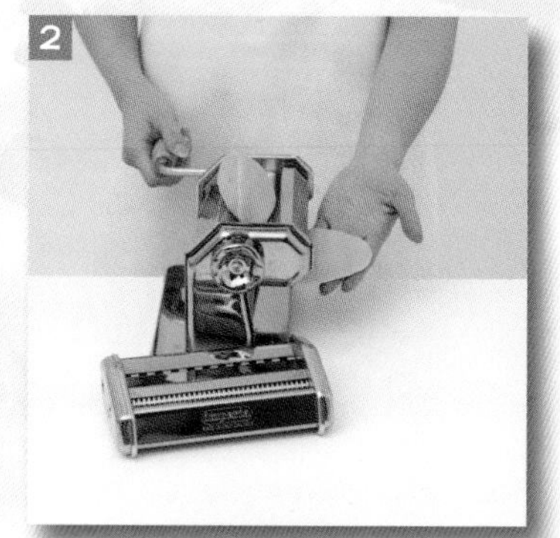

2. Pase una pieza de la masa a través de la máquina en el nivel más grueso.

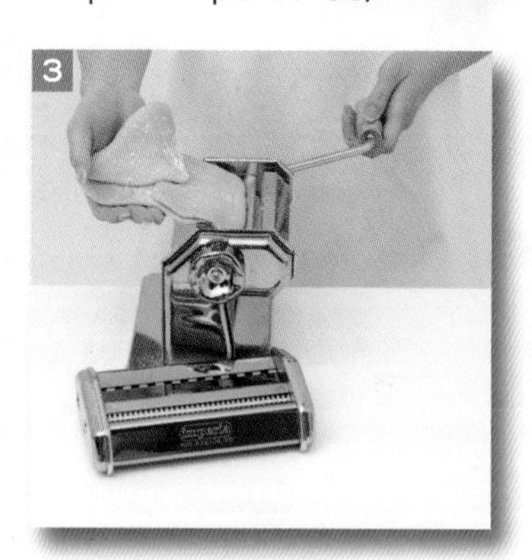

3. Continúe pasando la masa a través de la máquina, reduciendo el grosor un nivel a la vez, hasta obtener el grosor deseado. Quizás necesite doblar la pasta para obtener una lámina de tamaño uniforme.

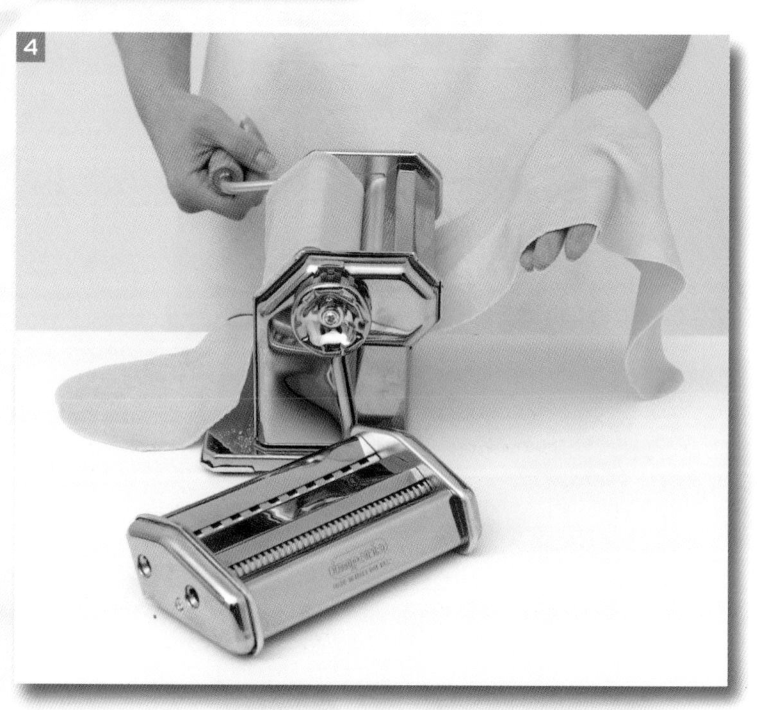

4. Las láminas de pasta terminadas deben quedar suaves, uniformes y sin dobleces. Las láminas muy largas son difíciles de manejar; procure que no sean más largas de 30 ó 35 cm (12 ó 14 in).

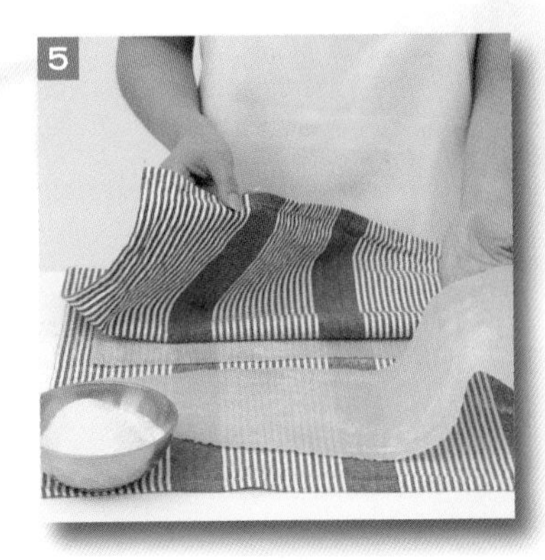

5. Espolvoree las láminas terminadas con sémola y tape con una toalla seca y limpia. Esto les permitirá secarse un poco antes de empezar a cortarlas.

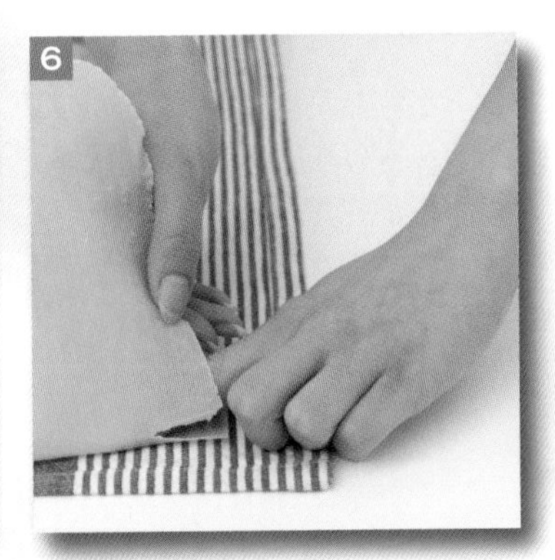

6. Para revisar que la pasta esté lista para cortarse, inserte su dedo índice en un doblez de la pasta y jale ligeramente. Si la pasta se estira aún no está lista; si se rompe, está lista para cortarse.

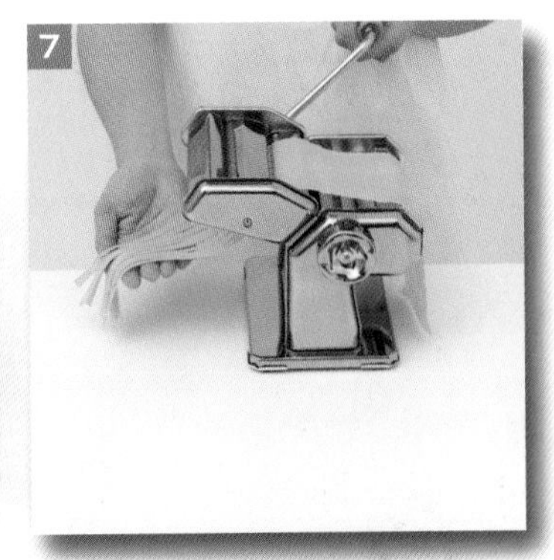

7. Programe la máquina al grosor deseado (para elaborar tagliolini, tagliatelle, pappardelle, etc.) y procese cada lámina. Si está preparando pasta de listón, sostenga la pasta con la mano a medida que sale de la máquina y júntela para darle forma de "nido."

PASTA DE LISTÓN

La clásica pasta fresca italiana en forma de listón tiene diferentes nombres de acuerdo a su grosor. Los listones más angostos, taglierini o tagliolini, tienen aproximadamente 5 a 6 mm (1/4 in) de ancho. El tagliatelle (también conocido como fettuccine) tiene por lo general 1 cm (1/2 in) de ancho y el pappardelle mide aproximadamente 2.5 cm (1 in) de ancho.

extendiendo la pasta a mano

Las máquinas para pasta son ideales para principiantes, pero a medida que obtenga más experiencia puede intentar extender la pasta a mano. Si lo hace correctamente, la pasta extendida a mano es mejor que la de máquina. Extendiendo a mano requiere de bastante esfuerzo y una superficie de trabajo grande y plana, de preferencia de madera. También necesitará de un rodillo largo y delgado especial para pasta.

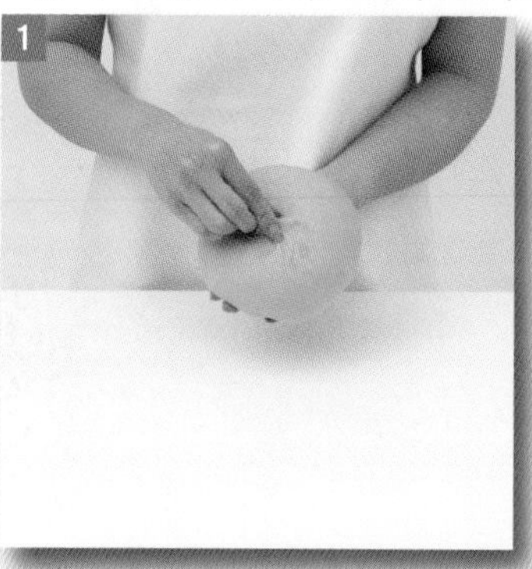

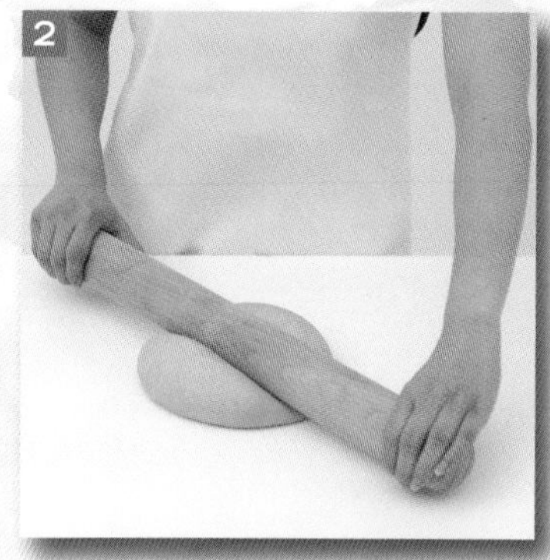

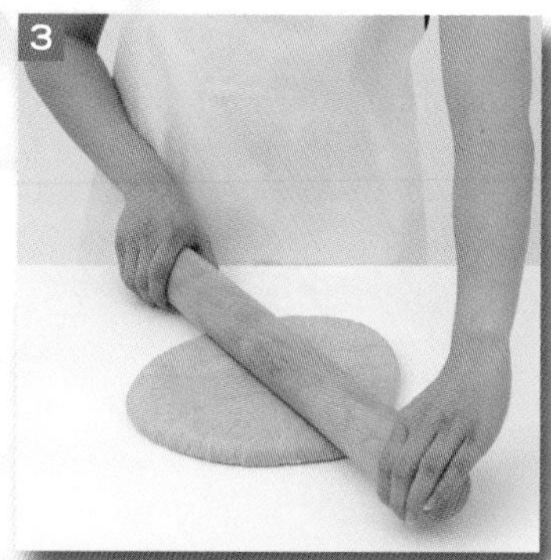

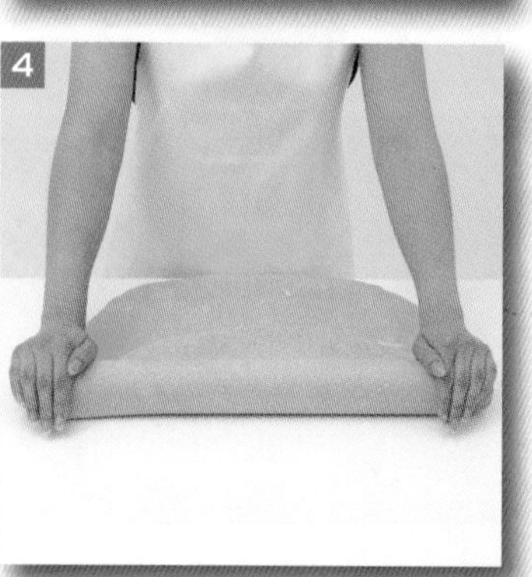

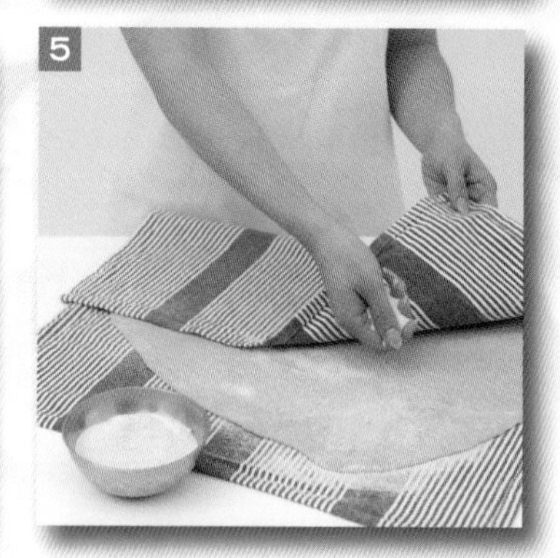

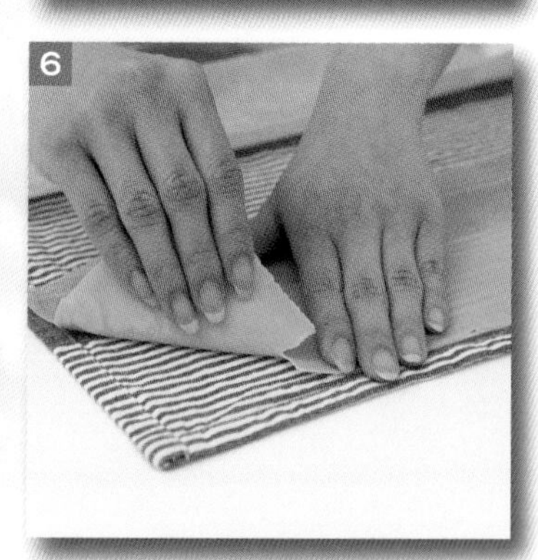

1. Desenvuelva la bola de pasta y utilice las yemas de los dedos para pellizcar un "botón" o una bola más pequeña de pasta en la superficie de la bola. Esto mantendrá el centro de la pasta del mismo grueso que las orillas cuando la extienda.

2. Coloque la bola de pasta sobre una superficie de trabajo grande y limpia. Coloque el rodillo sobre la masa y comience a extenderla desde el centro.

3. Continúe extendiendo la pasta distribuyendo uniformemente la presión sobre el rodillo. Gire la pasta de vez en cuando dándole un cuarto de vuelta y continúe trabajando.

4. Envuelva la pasta alrededor del rodillo y continúe extendiendo hacia atrás y hacia delante, pasando sus manos de un lado al otro del rodillo. Si la lámina de pasta supera el tamaño de la superficie de trabajo, deje que la mitad cuelgue de la orilla de la mesa o tabla y continúe extendiendo.

5. Espolvoree las láminas terminadas con sémola o polenta toscamente molida y cubra con una toalla seca y limpia. Esto permitirá que la pasta se seque un poco antes de que empiece a cortarla.

6. Para revisar si la pasta está lista para cortarse, intente romperla suavemente. Si la pasta se estira, quiere decir que no está lista; si se rompe, está lista para cortarse.

cortando la pasta a mano

Las máquinas para pasta pueden cortar lasagna o pastas sencillas de listón, como el tagliatelle y el pappardelle, pero aún cuando usted tenga una máquina, quizás prefiera cortar los listones de pasta a mano para que se note que están "hechos en casa". Siempre recuerde dejar que la pasta se seque ligeramente espolvoreada con harina y cubierta con una toalla, antes de cortarla.

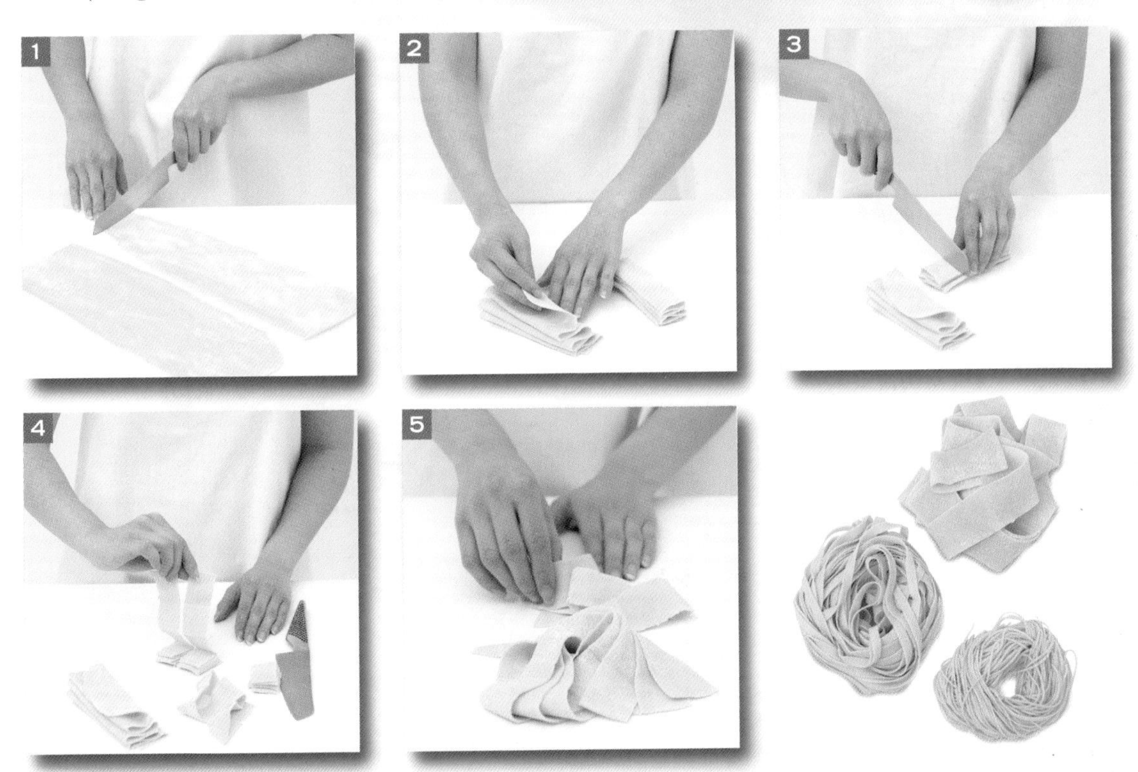

1. Lasagna: La pasta saldrá de la máquina en láminas de aproximadamente 14 x 30 cm (6 x 12 in). Corte en rectángulos de 13 x 15 cm (5 x 6 in).
2. Pasta de listón (pappardelle, fettuccine, taglierini, tagliolini, etc.): Coloque las láminas de pasta sobre una superficie de trabajo limpia y espolvoreada con sémola o polenta y doble en rollos planos. Deje un borde de 2.5 cm (1 in).
3. Utilice un cuchillo filoso para cortar los listones al grosor deseado. Los listones más angostos, como el taglierini o tagliolini, miden aproximadamente 5 mm ($^{1}/_{4}$ in) de ancho. El fettuccine (también conocido como tagliatelle) tiene por lo regular 1 cm ($^{1}/_{2}$ in) de ancho, mientras que el pappardelle puede tener hasta 2.5 cm (1 in) de ancho.
4. Para desdoblar los listones de pasta, agarre los extremos que salen de 2 ó 3 rollos y levántelos. Acomode en forma de "nidos" o extiéndalos en tiras planas sobre una toalla espolvoreada con harina.
5. El pappardelle terminado puede ser bastante ancho.

Pasta Fresca

pappardelle caprese

Este condimento "caprese" está inspirado en la ensalada de la isla italiana de Capri que lleva jitomates frescos, mozzarella y albahaca como ingredientes base. Es el condimento perfecto para preparar una cena rápida y nutritiva para cualquier día de la semana.

- Rinde 4 porciones
- 10 minutos
- El tiempo que requiera la pasta
- 3-4 minutos
- 1

- 400 gramos (14 oz) de pasta pappardelle fresca, hecha en casa (vea las páginas 16 a 25) o comprada
- 4 jitomates guaje o jitomates en racimo, maduros, cortados en cubos
- ½ taza (50 g) de hojas frescas de albahaca, toscamente picadas
- 150 gramos (5 oz) de queso mozzarella, cortado en cubos
- 1 cucharada de alcaparras, enjuagadas y escurridas
- 3 cucharadas de aceite de oliva extra virgen
- 1 cucharada de vinagre balsámico o de vino tinto
- Queso parmesano fresco, cortado en láminas (opcional)
- Pimienta negra recién molida

1. **Si utiliza pasta hecha en casa,** prepare el pappardelle siguiendo las instrucciones de las páginas 16 a 25.
2. **Cocine** el pappardelle en una olla grande con agua hirviendo con sal de 3 a 4 minutos, hasta que esté al dente. Escurra y coloque en un tazón grande.
3. **Mientras la pasta se está cocinando,** mezcle los jitomates, la albahaca, el queso mozzarella, las alcaparras, el aceite y el vinagre en un tazón mediano.
4. **Añada** la mezcla de los jitomates a la pasta caliente y mezcle ligeramente.
5. **Divida** la pasta en porciones iguales entre cuatro platos de servicio precalentados. Espolvoree con algunas láminas de queso parmesano, si lo usa, y sazone con pimienta.

Si a usted le gustó esta receta, también le gustarán:

pilas de lasagna con pesto

106

ensalada de farfalle con jitomates cereza y aceitunas

114

pappardelle con romero

El sabor aromático del romero combina perfectamente con el ajo en esta receta. Para preparar el romero, desprenda las hojas de las ramas y pique finamente.

Rinde 4 porciones
10 minutos
El tiempo que requiera la pasta
25 minutos
2

400 gramos (14 oz) de pasta pappardelle fresca, hecha en casa (vea las páginas 16 a 25) o comprada
4 dientes de ajo, finamente picados
1 cucharada de romero fresco, finamente picado
¼ taza (60 g) de mantequilla, cortada en cubos
1 cubo de caldo de res
Queso parmesano recién rallado, para acompañar

1. **Si utiliza pasta hecha en casa,** prepare el pappardelle siguiendo las instrucciones de las páginas 16 a 25.
2. **Coloque** el ajo y el romero en una sartén pequeña con la mantequilla. Cocine a fuego lento alrededor de 4 minutos, mezclando frecuentemente, hasta que la mantequilla adquiera un color dorado y el ajo se haya suavizado.
3. **Desbarate** e integre el cubo de caldo de res y mezcle hasta que se disuelva por completo.
4. **Cocine** la pasta pappardelle en una olla grande con agua hirviendo con sal de 3 a 4 minutos, hasta que esté al dente. Añada 3 cucharadas del agua de cocción de la pasta a la salsa de mantequilla.
5. **Escurra** la pasta y coloque en un tazón de servicio precalentado. Vierta la salsa sobre la pasta y mezcle ligeramente. Sirva caliente acompañando con el queso parmesano.

Si a usted le gustó esta receta, también le gustarán:

lasagna con calabaza de invierno
110

spaghetti con calabacitas
246

vermicelli con hierbas frescas
248

tagliolini con pesto de almendras y albahaca

Tradicionalmente el pesto lleva como ingrediente principal piñones, pero en esta receta las almendras aportan un toque adicional de cremosidad. Las almendras son una excelente fuente de proteína, fibra y vitamina E. También contienen antioxidantes que pueden ayudar a prevenir el cáncer, las enfermedades del corazón y el Alzheimer.

Rinde 4 porciones

15 minutos

El tiempo que requiera la pasta

2-3 minutos

1

- 400 gramos (14 oz) de pasta tagliolini fresca o pasta pelo de ángel, hecha en casa o comprada
- 3/4 taza (120 g) de almendras blanqueadas, finamente picadas
- 1 diente de ajo, finamente picado
- Sal
- 1 manojo grande de albahaca fresca
- 1 jitomate grande maduro, sin piel ni semillas y picado
- 1 chile seco, desmenuzado, o 1/2 cucharadita de chile rojo en polvo
- 3 cucharadas de aceite de oliva extra virgen

1. **Si utiliza pasta hecha en casa,** prepare la pasta tagliolini siguiendo las instrucciones de las páginas 16 a 25.
2. **Pique** las almendras, el ajo y una pizca de sal en un procesador de alimentos, hasta que la mezcla esté casi tersa.
3. **Añada** la albahaca y el jitomate y pique hasta obtener una mezcla tersa. Sazone con sal, chile y aceite. Coloque en un platón grande de servicio
4. **Cocine** la pasta en una olla grande con agua hirviendo con sal de 2 a 3 minutos, hasta que esté al dente.
5. **Escurra perfectamente** y reserve de 2 a 3 cucharadas del agua de cocción. Añada la pasta al platón de servicio con la salsa, agregando el agua de cocción reservada si la salsa queda demasiado seca. Mezcle ligeramente y sirva caliente.

Si a usted le gustó esta receta, también le gustarán:

fettuccine con pesto de piñones y nuez de castilla

38

ruote con pesto y jitomates cereza

152

spaghetti con pesto de nuez

228

cuadros de pasta con jitomate y pancetta

La pancetta es un delicioso embutido sin ahumar; curada con sal, pimienta y otras especias. Generalmente se vende enrollada en forma de salchicha.

Rinde 4 porciones
40 minutos
90 minutos
40 minutos
2

MASA PARA LA PASTA

2 tazas (300 g) de harina simple
2/3 taza (100 g) de cornmeal molido en molino de piedra (polenta fina)
1/4 cucharadita de sal
2/3 taza (150 ml) de agua tibia + la necesaria

SALSA

2 cucharadas de aceite de oliva extra virgen
1 cebolla morada, finamente picada
150 gramos (5 oz) de pancetta o tocino
750 gramos (1 1/2 lb) de jitomates, sin piel, picados y pasados a través de un colador de malla fina (passata)
Sal y pimienta negra recién molida
4 cucharadas de queso pecorino anejo recién rallado

1. **Para preparar la masa para la pasta,** haga un montículo con la harina, el cornmeal y la sal sobre una superficie de trabajo y haga una fuente en el centro. Agregue suficiente agua para preparar una masa suave. Amase de 15 a 20 minutos, hasta que la masa esté suave y elástica. Dele forma de bola, envuelva en plástico adherente y deje reposar durante 30 minutos.
2. **Extienda** la masa con ayuda de un rodillo hasta obtener un grosor de 3 mm (1/8 in). Corte en cuadros de 2.5 cm (1 in).
3. **Para preparar la salsa,** caliente el aceite en una sartén mediana sobre fuego lento. Añada la cebolla y la pancetta y cocine durante 10 minutos, hasta que la cebolla esté suave.
4. **Integre** los jitomates, sazone con sal y pimienta y cocine a fuego medio durante 25 minutos.
5. **Mientras tanto,** cocine la pasta en una olla grande con agua hirviendo con sal de 3 a 4 minutos, hasta que esté al dente.
6. **Escurra perfectamente** e integre con la salsa, mezclando ligeramente. Espolvoree con el queso pecorino y sirva caliente.

Si a usted le gustó esta receta, también le gustarán:

penne con salsa picante de jitomate

spaghetti con pimiento y pancetta

bucatini con salsa amatriciana

fettuccine con crema y jamón

Si lo desea, puede preparar este platillo con fettuccine de espinaca. Para preparar fettuccine de espinaca, vea la tabla de la página 19; se prepara añadiendo a la masa para pasta aproximadamente 50 g (2 oz) de puré de espinaca finamente picada y cocida.

Rinde 4 porciones
15 minutos
El tiempo que requiera la pasta
10 minutos
1

400 gramos (14 oz) de fettuccine fresco, hecho en casa (vea las páginas 16 a 25) o comprado
1/4 taza (60 g) de mantequilla
125 gramos (4 oz) de jamón, cortado en tiras delgadas
3/4 taza (200 ml) de crema ligera (light)
Sal y pimienta blanca recién molida
1/8 cucharadita de nuez moscada recién molida
1/2 taza (60 g) de queso parmesano recién rallado

1. **Si utiliza pasta hecha en casa,** prepare el fettuccine siguiendo las instrucciones de las páginas 16 a 25.
2. **Derrita** la mantequilla en una sartén grande sobre fuego medio. Añada el jamón y saltee durante 5 minutos, hasta que esté crujiente.
3. **Vierta** la crema y cocine de 2 a 3 minutos, hasta que espese. Sazone con sal, pimienta blanca y nuez moscada.
4. **Cocine** la pasta en una olla grande con agua hirviendo con sal de 3 a 4 minutos, hasta que esté al dente.
5. **Escurra perfectamente** y pase a la sartén con la salsa. Mezcle ligeramente. Espolvoree con el queso parmesano y sirva caliente.

Si a usted le gustó esta receta, también le gustarán:

tortellini con salsa de leñador

98

farfalle con chícharos y jamón

198

rigatoni al horno con jamón y champiñones al horno

218

fettuccine con pesto de piñones y nuez de castilla

La nuez de castilla es rica en ácidos grasos omega-3, vitaminas B y E además de muchos minerales. También contiene melatonina, un antioxidante que promueve el descanso cuando duerme.

Rinde 4 porciones

30 minutos

El tiempo que requiera la pasta

10-15 minutos

1

400 gramos (14 oz) de fettuccine fresco, hecho en casa (vea las paginas 16 a 25) o comprado

¼ taza (45 g) de piñones

3 tazas (400 g) de nueces de castilla, en su cáscara

2 dientes de ajo

1 taza (100 g) de perejil fresco

⅓ taza (90 ml) de aceite de oliva extra virgen

Sal

1. **Si utiliza una pasta hecha en casa,** prepare el fettuccine siguiendo las instrucciones de las páginas 16 a 25.
2. **Precaliente** el horno a 180°C (350°F/gas 4). Coloque los piñones sobre una charola para hornear y ase de 5 a 10 minutos, hasta que adquieran un color dorado pálido.
3. **Retire** la cáscara de las nueces de castilla y pique finamente en un procesador de alimentos junto con los piñones, ajo, perejil y aceite. Sazone con sal.
4. **Cocine** la pasta en una olla grande con agua hirviendo con sal de 3 a 4 minutos, hasta que esté al dente.
5. **Escurra perfectamente** y coloque en un platón de servicio grande precalentado. Cubra con la salsa, mezcle cuidadosamente y sirva caliente.

Si a usted le gustó esta receta, también le gustarán:

tagliolini con pesto de almendras y albahaca

ruote con pesto y jitomates cereza

spaghetti con pesto de nuez

fettuccine con salsa de jitomate asado

Los jitomates asados en el horno adquieren un delicioso sabor concentrado y una excelente textura. El jitomate es rico en vitamina C y potasio, contiene licopeno y es un potente antioxidante que se intensifica al cocinar. Protege contra el cáncer, las enfermedades del corazón y muchas otras enfermedades.

- Rinde 4 porciones
- 15 minutos
- El tiempo que requiera la pasta
- 25-30 minutos
- 2

- **400 gramos (14 oz) de fettuccine fresco, hecho en casa (vea las páginas 16 a 25) o comprado**
- **1 kilogramo (2 lb) de jitomates firmes y maduros**
- **2 dientes de ajo, finamente picados**
- **⅓ taza (90 ml) de aceite de oliva extra virgen**
- **1 cucharada de perejil fresco, finamente picado**
- **Sal**
- **Hojas frescas de albahaca, para acompañar**

1. **Si utiliza** pasta hecha en casa, prepare el fettuccine siguiendo las instrucciones de las páginas 16 a 25.
2. **Precaliente** el horno a 200°C (400°F/gas 6). Corte los jitomates en mitades y retire las semillas. Coloque los jitomates con el interior hacia abajo sobre una charola para hornear y hornee de 20 a 25 minutos, hasta que hayan perdido el exceso de líquido y la piel esté quemada.
3. **Deje enfriar** ligeramente, retire la piel y machaque en un tazón grande. Integre el ajo, aceite, perejil y sal.
4. **Cocine** la pasta en una olla grande con agua hirviendo con sal de 3 a 4 minutos, hasta que esté al dente.
5. **Escurra perfectamente** y coloque en un platón de servicio grande precalentado. Añada la salsa y la albahaca y mezcle ligeramente. Sirva caliente.

Si a usted le gustó esta receta, también le gustarán:

spaghetti integral con salsa picante de jitomate

52

maccheroni con jitomate y jamón ahumado

200

spaghetti con jitomates deshidratados

262

fettuccine con alcachofas

Al comprar alcachofas, elija aquellas que tengan las hojas bien compactas, que tengan buen color y que no estén dañadas. Una alcachofa fresca debe "rechinar" al comprimirla.

Rinde 6 porciones

30 minutos

El tiempo que requiera la pasta

30 minutos

2

- **400 gramos (14 oz) de fettuccine integral, hecho en casa (vea las páginas 16 a 25) o comprado**
- **6 alcachofas frescas**
- **Jugo de 1 limón amarillo**
- **1/4 taza (60 ml) de aceite de oliva extra virgen**
- **1/4 taza (60 g) de mantequilla**
- **2 dientes de ajo, finamente picados**
- **1 taza (250 ml) de agua + la necesaria**
- **Sal y pimienta negra recién molida**
- **2 cucharadas de perejil fresco, finamente picado**
- **1 taza (125 g) de queso pecorino recién rallado**

1. **Si utiliza pasta hecha en casa,** prepare el fettuccine siguiendo las instrucciones de las páginas 16 a 25.
2. **Recorte** los tallos y una tercera parte de las puntas de las alcachofas. Retire las hojas duras del exterior doblándolas hacia afuera para desprenderlas. Corte a la mitad y utilice un cuchillo para retirar las fibras del centro de la alcachofa. Parta en rebanadas delgadas. Coloque en un tazón mediano con agua fría y el jugo de limón.
3. **Caliente** el aceite y la mantequilla en una sartén grande sobre fuego medio. Añada el ajo y saltee de 3 a 4 minutos, hasta que se dore.
4. **Escurra** las alcachofas y pase a la sartén. Saltee de 2 a 3 minutos y después agregue 1/4 taza (60 ml) de agua. Sazone con sal y pimienta. Cocine las alcachofas a fuego lento, hasta que estén suaves, mezclando frecuentemente y agregando más agua si fuera necesario.
5. **Cocine** el fettuccine en una olla grande con agua hirviendo con sal de 3 a 4 minutos, hasta que esté al dente.
6. **Escurra perfectamente** y pase a la sartén con las alcachofas. Espolvoree con el perejil y el queso pecorino, mezcle hasta integrar por completo y sirva caliente.

Si a usted le gustó esta receta, también le gustarán:

180 penne integral con atún, aguacate y hierbas frescas

pasta con queso de cabra y alcachofas

bucatini con huevos y alcachofas

fettuccine con salsa cremosa de berenjena

Las mejores berenjenas son aquellas con la piel firme, lustrosa e intacta. Es importante que estén frescas por lo que no debe almacenarlas durante mucho tiempo. Si no tiene tiempo de elaborar la pasta en casa, utilice 400 g (14 oz) de fettuccine comprado.

Rinde 4 porciones
30 minutos
El tiempo que requiera la pasta
25 minutes
2

PASTA

- 400 gramos (14 oz) de fettuccine fresco (vea las páginas 16 a 25)
- 2 chiles secos, desmoronados
- 1 cucharadita de tomillo fresco, finamente picado

SALSA

- 3 berenjenas medianas, sin piel y picadas en cubos pequeños
- ⅓ taza (90 ml) de aceite de oliva extra virgen
- 2 dientes de ajo, finamente picados
- 1 cucharada de tomillo fresco, finamente picado
- 15 hojas de albahaca fresca, troceadas
- Sal
- 3 jitomates, picados
- 6 cucharadas de queso pecorino añejo recién rallado

1. **Prepare el fettuccine** siguiendo las instrucciones de las páginas 16 a 25, añadiendo el chile y el tomillo a los huevos revueltos.
2. **Para preparar la salsa,** hierva la berenjena en agua con un poco de sal durante 4 minutos. Escurra y exprima el exceso de líquido.
3. **Caliente** el aceite en una sartén grande sobre fuego medio. Añada el ajo y el tomillo; saltee durante 2 minutos. Añada la berenjena y cocine de 6 a 7 minutos, machacando ligeramente con ayuda de un tenedor. Retire del fuego, añada la mitad de la albahaca y sazone con sal.
4. **Pase** a un procesador de alimentos y pique hasta que la mezcla esté suave. Regrese la crema de berenjena a la sartén y añada los jitomates. Cocine hasta que los jitomates se hayan desbaratado y la salsa esté cremosa.
5. **Cocine** la pasta en una olla grande con agua hirviendo con sal de 3 a 4 minutos, hasta que esté al dente.
6. **Escurra perfectamente,** reservando de 2 a 3 cucharadas del agua de cocción. Pase a la sartén con el agua reservada, espolvoree con el queso y la albahaca restante y mezcle ligeramente. Sirva caliente.

Si a usted le gustó esta receta, también le gustarán:

ensalada de pasta con berenjena y piñones 122

penne con pimientos, berenjena y calabacitas 126

spaghetti con berenjena frita y jitomate 280

fettuccine con pollo en salsa picante

Éste es un platillo sustancioso que puede servirse como una comida completa.

- Rinde 4 porciones
- 30 minutos
- El tiempo que requiera la pasta
- 40 minutos
- 2

400	gramos (14 oz) de fettuccine fresco hecho en casa (vea las páginas 16 a 25) o comprado
2	mitades de pechugas de pollo, deshuesadas, sin piel y partidas en rebanadas delgadas
1	cucharada de páprika picante
1	cucharada de curry en polvo
	Sal
¼	taza (60 ml) de aceite de oliva extra virgen
1	zanahoria, finamente picada
1	tallo de apio, finamente picado
1	cebolla, finamente picada
½	taza (125 ml) de vino blanco seco
500	gramos (1 lb) de jitomates, sin piel y picados
¼	taza (60 ml) de caldo de verduras
2	cucharadas de jugo de limón amarillo recién exprimido
	Pimienta negra recién molida
2	cucharadas de hojas de albahaca fresca

1. **Si utiliza pasta hecha en casa,** prepare el fettuccine siguiendo las instrucciones de las páginas 16 a 25.
2. **Para preparar la salsa,** coloque el pollo en un tazón grande y espolvoree con la páprika, el curry en polvo y la sal.
3. **Caliente** el aceite en una sartén grande sobre fuego medio. Añada la zanahoria, el apio y la cebolla y saltee de 3 a 4 minutos, hasta que la cebolla esté transparente.
4. **Añada** el pollo y saltee de 5 a 7 minutos, hasta que se dore. Agregue el vino y deje que se evapore. Añada los jitomates y mezcle hasta integrar por completo.
5. **Tape** y cocine a fuego lento durante 25 minutos, agregando un poco de caldo si la salsa se reseca demasiado. Integre el jugo de limón y sazone con sal y pimienta.
6. **Cocine** la pasta en una olla grande con agua hirviendo con sal de 4 a 5 minutos, hasta que esté al dente. Escurra y reserve 2 cucharadas del agua de cocción. Mezcle con la salsa sobre fuego alto durante un minuto. Agregue el líquido de cocción reservado y mezcle nuevamente. Adorne con albahaca y sirva caliente.

Si a usted le gustó esta receta, también le gustarán:

penne con salsa picante de jitomate

160

spaghetti con pollo y espinaca al horno

314

pappardelle
con calabaza y azafrán

La calabaza no solamente es un delicioso alimento, sino que ¡también es muy buena para su salud! Tiene un alto contenido de fibra, vitamina A, beta-caroteno, potasio y selenio.

Rinde 4 porciones
30 minutos
El tiempo que requiera la pasta
50 minutos
2

- **400 gramos (14 oz) de pasta pappardelle fresca, hecha en casa (vea las páginas 16 a 25), o comprada**
- **3 poros pequeños, rebanados**
- **⅓ taza (90 ml) de aceite de oliva extra virgen**
- **½ taza (125 ml) de crema ligera (light)**
- **¼ taza (30 g) de queso parmesano recién rallado**
- **¼ taza (60 ml) de caldo de verduras**
- **Una pizca de curry en polvo**
- **Sal y pimienta negra recién molida**
- **250 gramos (8 oz) de calabaza fresca o calabaza de invierno, sin piel ni semillas y cortada en cubos**
- **½ cucharada de tomillo fresco, finamente picado**
- **½ cucharada de mejorana fresca, finamente picada**
- **¼ taza (45 g) de piñones**
- **1 cucharada de mantequilla**
- **1 chalote, partido en rebanadas delgadas**
- **Una pizca de hilos de azafrán**

1. **Si utiliza pasta hecha en casa,** prepare el pappardelle siguiendo las instrucciones de las páginas 16 a 25.
2. **Precaliente** el horno a 190°C (375°F/gas 5). Blanquee los poros en agua hirviendo con sal de 4 a 5 minutos, hasta que estén suaves. Escurra y pase a un procesador de alimentos. Añada 3 cucharadas de aceite, la crema, el queso parmesano, el caldo, el curry en polvo, sal y pimienta y pique hasta obtener una mezcla tersa.
3. **Coloque** la calabaza en una charola para hornear previamente engrasada con aceite. Rocíe con el aceite restante y sazone con sal y pimienta. Cubra con el tomillo, la mejorana y los piñones y hornee de 12 a 15 minutos, hasta que esté suave.
4. **Derrita** la mantequilla en una sartén grande sobre fuego medio. Añada el chalote y saltee de 3 a 4 minutos, hasta que esté suave. Agregue la calabaza y el puré de poro. Mezcle hasta integrar por completo.
5. **Cocine** la pasta en una olla grande con agua hirviendo con sal y el azafrán de 3 a 4 minutos, hasta que esté al dente. Escurra e integre con la salsa. Mezcle sobre fuego alto durante un minuto. Sirva caliente.

Si a usted le gustó esta receta, también le gustarán:

ravioli con salsa de calabaza

94

lasagna con calabaza de invierno

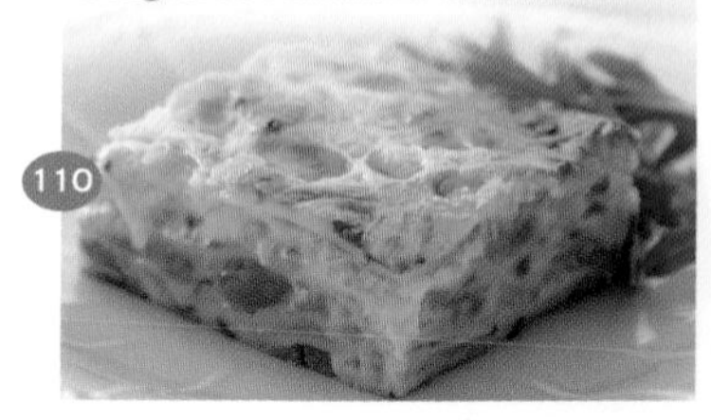

110

pasta fresca con frijoles

Si no encuentra frijoles borlotti frescos, puede utilizar de lata. Compre dos latas de 400 g (14 oz) y añada los frijoles en el paso 4. También puede reemplazar este tipo de frijol por frijoles rojos o frijoles bayos.

- Rinde 4 porciones
- 30 minutos
- El tiempo que requiera la pasta
- 1 hora 30 minutos
- 2

FRIJOLES Y PASTA

- 400 gramos (14 oz) de frijoles borlotti frescos desvainados
- 8 tazas (2 litros) de agua fría
- 2 dientes de ajo
- 1 manojo de salvia fresca
- 2 cucharadas de aceite de oliva extra virgen
- Sal
- 400 gramos (14 oz) de masa fresca para pasta hecha en casa (vea las páginas 16 a 25)

SALSA

- 2 cucharadas de aceite de oliva extra virgen
- 2 dientes de ajo, finamente picados
- 2 cucharadas de perejil fresco, finamente picado
- 6 jitomates firmes y maduros, picados toscamente
- Sal y pimienta negra recién molida

1. **Coloque los frijoles** en una sartén grande con el agua, ajo, salvia y aceite. Lleve a ebullición y hierva a fuego lento alrededor de una hora, hasta que los frijoles estén suaves. Sazone con sal y escurra, reservando un poco del líquido de cocción.
2. **Prepare la masa para la pasta** siguiendo las instrucciones de las páginas 16 a 25.
3. **Para preparar la salsa,** caliente el aceite en una sartén sobre fuego medio, añada el ajo y el perejil y saltee de 2 a 3 minutos, hasta que el ajo se dore ligeramente.
4. **Integre** los jitomates y sazone con sal. Cocine a fuego medio-bajo durante 20 minutos. Añada los frijoles y algunas cucharadas del líquido de cocción.
5. **Extienda** la masa con ayuda de rodillo sobre una superficie de trabajo espolvoreada con un poco de harina, hasta obtener una lámina delgada. Corte en trozos de formas irregulares.
6. **Cocine** la pasta en una olla grande con agua hirviendo con sal de 3 a 4 minutos, hasta que esté al dente. Escurra perfectamente y sirva caliente con la salsa de los frijoles y bastante pimienta.

Si a usted le gustó esta receta, también le gustarán:

fusilli con frijoles y pesto

150

spaghetti con chili

304

spaghetti integral
con salsa picante de jitomate

El spaghetti hecho en casa es delicioso, más grueso y absorbe muy bien la salsa. Puede comprar una chitarra (un tipo "guitarra" en italiano, por su forma) en una tienda especializada en utensilios para cocina para cortar las láminas de pasta en tiras de spaghetti. De lo contrario, si tiene buen pulso puede utilizar un cuchillo filoso.

- Rinde 4 porciones
- 45 minutos
- 1 hora
- 15 minutos
- 3

MASA PARA LA PASTA

2 1/3 tazas (350 g) de harina integral
1/4 cucharadita de sal
Agua tibia

SALSA

1/3 taza (90 ml) de aceite de oliva extra virgen
2 dientes de ajo, finamente picados
1 chile rojo fresco, finamente picado
1 cucharada de perejil fresco, finamente picado
750 gramos (1 1/4 lb) de jitomates, sin piel y picados
Sal

1. **Para preparar la masa para la pasta,** coloque la harina y la sal sobre una superficie de trabajo y haga una fuente en el centro. Agregue suficiente agua para preparar una masa suave. Amase de 10 a 15 minutos, hasta que la masa esté suave y elástica. Haga una bola, envuelva en plástico adherente y deje reposar durante 30 minutos.
2. **Extienda** la masa con ayuda de un rodillo sobre una superficie de trabajo espolvoreada con un poco de harina hasta obtener un grosor de 3 mm (1/8 in). Tape con una toalla y deje secar durante 30 minutos.
3. **Para preparar la salsa,** caliente el aceite en una sartén grande sobre fuego medio. Añada el ajo, el chile y el perejil y saltee de 2 a 3 minutos hasta que el ajo se dore.
4. **Integre** los jitomates y cocine a fuego alto durante 5 minutos, hasta que se hayan desbaratado. Sazone con sal.
5. **Corte** la pasta en tiras de spaghetti utilizando una chitarra. Si no cuenta con una, utilice un cuchillo filoso para cortar la pasta en tiras de 3 mm (1/8 in) de ancho.
6. **Cocine** la pasta en una olla grande con agua hirviendo con sal de 2 a 3 minutos, hasta que esté al dente.
7. **Escurra perfectamente** e integre con la salsa. Mezcle ligeramente sobre fuego medio, hasta que la salsa se adhiera a la pasta. Sirva caliente.

Si a usted le gustó esta receta, también le gustarán:

fettuccine con salsa de jitomate asado

40

penne con salsa picante de jitomate

160

fusilli frío con jitomate y cebolla

120

paghetti hecho en casa con ajo y aceite

El aceite de oliva extra virgen contiene grasas monoinsaturadas benéficas para el corazón. Tiene un alto contenido calórico por lo que 2 ó 3 cucharadas al día son suficientes. El perejil fresco y el ajo también contribuyen a que este platillo sea ¡tan saludable!

Rinde 4 porciones

30 minutos

1 hora 30 minutos

5 minutos

2

MASA PARA LA PASTA

- $2\frac{1}{3}$ tazas (350 g) de harina simple
- $\frac{1}{4}$ cucharadita de sal
- Agua tibia

SALSA

- 5 cucharadas (75 ml) de aceite de oliva extra virgen
- 6 dientes de ajo, finamente picados
- 6 cucharadas de perejil fresco, finamente picado

1. **Para preparar la masa para la pasta,** coloque la harina y la sal sobre una superficie de trabajo de madera y haga una fuente en el centro. Agregue suficiente agua para preparar una masa firme. Amase de 15 a 20 minutos, hasta que la masa esté suave y elástica. Reserve durante 30 minutos.
2. **Separe** trozos de la pasta y ruede para formar tiras de spaghetti de aproximadamente 20 cm (8 in) de largo. Tape con una toalla y deje secar por lo menos durante una hora.
3. **Cocine** la pasta en una olla grande con agua hirviendo con sal de 3 a 4 minutos, hasta que esté al dente. Escurra perfectamente y coloque en un tazón de servicio precalentado.
4. **Caliente** el aceite con el ajo en una sartén pequeña sobre fuego lento de 3 a 4 minutos, hasta que el ajo se dore ligeramente.
5. **Rocíe** el aceite y el ajo sobre la pasta y espolvoree con el perejil. Mezcle ligeramente y sirva caliente.

Si a usted le gustó esta receta, también le gustarán:

spaghetti hecho en casa con salsa de jitomate y ajo

56

spaghetti con limón amarillo y aceitunas

232

spaghetti con ajo, chile y aceite

224

spaghetti hecho en casa con salsa de jitomate y ajo

El secreto de esta vieja receta proveniente de la Toscana, es cocinar los jitomates a fuego muy lento hasta que el ajo se haya disuelto casi por completo. Puede variar la cantidad de chile al gusto.

Rinde 4 porciones

45 minutos

1 hora 30 minutos

1 hora

3

MASA PARA LA PASTA

- **2 $\frac{1}{3}$ tazas (350 g) de harina simple**
- **$\frac{1}{4}$ cucharadita de sal**
- **Agua tibia**

SALSA

- **5 cucharadas de aceite de oliva extra virgen**
- **10 dientes de ajo, ligeramente machacados pero enteros**
- **2 kilogramos (2 lb) de jitomates, sin piel y finamente picados**
- **$\frac{1}{4}$ cucharadita de hojuelas de chile rojo**
- **Sal**

1. **Para preparar la masa para la pasta,** coloque la harina y la sal sobre una superficie de trabajo de madera y haga una fuente en el centro. Agregue suficiente agua para preparar una masa firme. Amase de 15 a 20 minutos, hasta que la masa esté suave y elástica. Reserve durante 30 minutos.
2. **Separe** trozos de la pasta y ruede para formar tiras de spaghetti de aproximadamente 20 cm (8 in) de largo. Tape con una toalla y deje secar por lo menos durante una hora.
3. **Para preparar la salsa de ajo,** vierta el aceite en una sartén grande sobre fuego medio. Añada el ajo y saltee de 3 a 4 minutos, hasta que se dore ligeramente.
4. **Añada** los jitomates y las hojuelas de chile rojo y sazone con sal. Tape la sartén parcialmente y cocine a fuego lento alrededor de 45 minutos, hasta que el ajo se haya disuelto casi por completo en la salsa. Sazone con sal.
5. **Cocine** la pasta en una olla grande con agua hirviendo con sal de 3 a 4 minutos, hasta que esté al dente.
6. **Escurra perfectamente** y coloque en un tazón de servicio precalentado. Añada la salsa y mezcle ligeramente. Sirva caliente.

Si a usted le gustó esta receta, también le gustarán:

spaghetti hecho en casa con ajo y aceite

54

penne con salsa picante de jitomate

160

spaghetti con ajo, chile y aceite

224

spaghetti hecho en casa con jitomate y arúgula

Si no encuentra arúgula, también puede utilizar hojas miniatura de espinaca, aunque aportarán un sabor un poco más suave.

- Rinde 4 porciones
- 40 minutos
- 1 hora 30 minutos
- 30 minutos
- 2

MASA PARA LA PASTA

- 2 1/3 tazas (350 g) de harina simple
- 1/4 cucharadita de sal
- Agua tibia

SALSA

- 5 cucharadas de aceite de oliva extra virgen
- 2 dientes de ajo, finamente picados
- 1 chile seco, despedazado
- 2 tazas (500 ml) de jitomates, sin piel y picados
- 1 manojo de arúgula, troceada
- 1 tallo de apio, picado
- 1/2 taza (60 g) de queso parmesano, rallado
- 1 cucharada de perejil fresco, finamente picado

1. **Para preparar la masa para la pasta,** coloque la harina y la sal en una superficie de trabajo de madera y haga una fuente en el centro. Agregue suficiente agua para hacer una masa firme. Amase de 15 a 20 minutos, hasta que la masa esté suave y elástica. Reserve durante 30 minutos.
2. **Separe** trozos de la masa y ruede para formar tiras gruesas de spaghetti de aproximadamente 20 cm (8 in) de largo. Tape con una toalla y deje secar durante una hora.
3. **Para preparar la salsa,** ciente el aceite en una sartén grande sobre fuego medio. Añada el ajo y el chile y saltee de 3 a 4 minutos, hasta que el ajo se dore ligeramente. Integre los jitomates y cocine sobre fuego medio-bajo durante 15 minutos.
4. **Cocine** la pasta en una olla grande con agua hirviendo con sal de 3 a 4 minutos, hasta que esté al dente.
5. **Escurra perfectamente** e integre con la salsa. Agregue la arúgula, el apio, el queso parmesano y el perejil. Mezcle hasta integrar por completo y sirva caliente.

Si a usted le gustó esta receta, también le gustarán:

ensalada de fusilli con pimiento y arúgula

116

aghetti integral con verduras de verano

256

fettuccine con callo de hacha

Los callos de hacha son una excelente fuente de vitamina B12, ácidos grasos omega-3 y magnesio, que promueven la salud cardiovascular. Agregue chile al gusto.

Rinde 4 porciones

10 minutos

El tiempo que requiera la pasta

20 minutos

2

- 400 gramos (14 oz) de fettuccine, hecho en casa (vea las páginas 16 a 25) o comprado
- 12 callos de hacha grandes, con corales
- ½ taza (125 ml) de aceite de oliva extra virgen
- ½ taza (60 g) de migas finas de pan
- 4 cucharadas de perejil fresco, finamente picado
- 2 dientes de ajo, finamente picados
- ½ cucharadita de chiles secos molidos u hojuelas de chile rojo
- Sal
- ¼ taza (60 ml) de vino blanco seco

1. **Si utiliza pasta hecha en casa,** prepare el fettuccine siguiendo las instrucciones de las páginas 16 a 25.
2. **Desprenda** los corales de los callos de hacha y reserve. Rebane cada callo de hacha blanco en 3 ó 4 piezas.
3. **Caliente** 2 cucharadas del aceite en una sartén mediana sobre fuego medio. Añada las migas de pan y saltee de 3 a 5 minutos, hasta que se doren. Pase a un tazón mediano y reserve.
4. **Caliente** 5 cucharadas del aceite restante en la misma sartén sobre fuego medio. Añada 2 cucharadas de perejil, el ajo y los chiles y saltee de 2 a 3 minutos, hasta que suelten sabor.
5. **Mientras tanto,** cocine el fettuccine en una olla grande con agua hirviendo con sal de 3 a 4 minutos, hasta que esté al dente. Escurra perfectamente, regrese a la olla y mezcle con la cucharada restante de aceite.
6. **Integre** las partes blancas de los callos a la sartén y saltee alrededor de 30 segundos, hasta que comiencen a opacarse. Añada el vino y los corales de callo reservados, cocine a fuego lento durante 30 minutos, rectifique la sazón con sal y añada el fettuccine; cocine durante un minuto, mezclando para integrar.
7. **Espolvoree** con las migas de pan y el perejil restantes y sirva caliente.

Si a usted le gustó esta receta, también le gustarán:

cavatappi con camarones y espárragos

penne con jitomate y camarones

spaghetti con mariscos

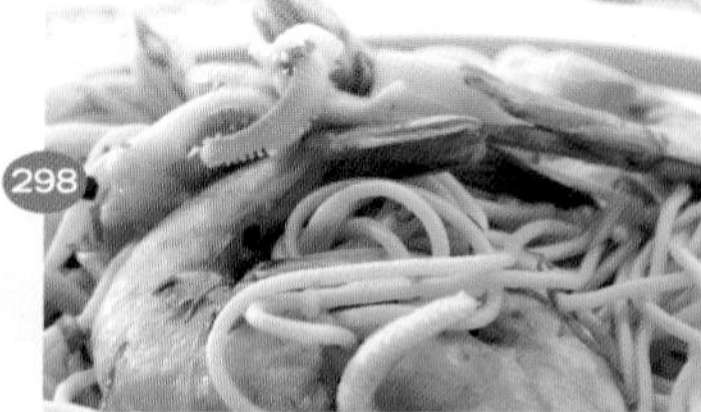

fettuccine con mejillones

Utilice jitomates rojos bien maduros para obtener los mejores resultados al preparar esta receta. También es importante que compre mejillones frescos. Si fuera necesario, retire de sus conchas cociéndolos al vapor y retirando los moluscos de sus conchas.

Rinde 4 porciones
20 minutos
El tiempo que requiera la pasta
30 minutos
2

400 g (14 oz) de fettuccine fresco, hecho en casa (vea las páginas 16 a 25) o comprado
750 gramos (1 ½ lb) de jitomates
1 cucharada de aceite de oliva extra virgen
1 cebolla, finamente picada
2 dientes de ajo, finamente picados
2 tallos de apio, finamente picados
1 pimiento (capsicum) rojo, finamente picado
125 gramos (4 oz) de champiñones, partidos en rebanadas delgadas
4 jitomates deshidratados, remojados, escurridos y finamente picados
½ taza (125 ml) de vino tinto seco
2 cucharadas de puré de jitomate
Sal y pimienta negra recién molida
250 gramos (8 oz) de mejillones
2 cucharadas de albahaca fresca, finamente picada

1. **Si utiliza pasta hecha en casa,** prepare el fettuccine siguiendo las instrucciones de las páginas 16 a 25.
2. **Para preparar la salsa,** cubra los jitomates con agua hirviendo y deje reposar durante 30 segundos. Escurra, retire la piel y las semillas y pique.
3. **Caliente** el aceite en una sartén grande sobre fuego medio. Añada la cebolla, el ajo, el apio, el pimiento y los champiñones y saltee de 4 a 5 minutos, hasta que estén suaves.
4. **Integre** los jitomates frescos y los deshidratados, el vino tinto y el puré de jitomate. Sazone con sal y pimienta. Lleve a ebullición, tape, y cocine a fuego lento durante 20 minutos, hasta que estén suaves.
5. **Integre** los mejillones. Incremente ligeramente el fuego y cocine, destapados, durante 5 minutos, mezclando ocasionalmente.
6. **Cocine** el fettuccine en una olla grande con agua hirviendo con sal de 3 a 4 minutos, hasta que esté al dente. Escurra, añada a la salsa con la albahaca y mezcle hasta integrar por completo. Sirva caliente.

Si a usted le gustó esta receta, también le gustarán:

penne con mejillones

spaghetti con mariscos en papillote

spaghetti con mejillones

fettuccine con salmón y chícharos

Si lo desea, utilice salmón fresco en lugar de ahumado. Escalfe 400 g (14 oz) de filetes de salmón con hierbas mixtas frescas finamente picadas y un poco de leche hasta que esté cocido y trocee con ayuda de un tenedor. Agregue a la salsa en el paso 4.

Rinde 4 porciones
10 minutos
El tiempo que requiera la pasta
10 minutos
2

- 400 gramos (14 oz) de fettuccine fresco, hecho en casa (vea las páginas 16 a 25) o comprado
- 1 taza (150 g) de chícharos congelados
- $\frac{1}{2}$ taza de vino blanco seco
- $1\frac{1}{4}$ taza (300 ml) de crema ligera (light)
- 8 rebanadas grandes de salmón ahumado
- 3 cebollitas de cambray, finamente picadas
- Sal y pimienta negra recién molida

1. **Si utiliza pasta hecha en casa,** prepare el fettuccine siguiendo las instrucciones de las páginas 16 a 25.
2. **Para preparar la salsa,** blanquee los chícharos en agua hirviendo durante 2 minutos. Enfríe bajo el chorro de agua fría, escurra y reserve.
3. **Vierta** el vino en una sartén grande y lleve a ebullición. Integre 1 taza (250 m) de la crema y hierva hasta que la salsa se reduzca y espese.
4. **Mezcle** 4 rebanadas del salmón ahumado con las cebollitas de cambray y la crema restante en un procesador de alimentos y pique hasta obtener una mezcla tersa. Integre la mezcla del salmón ahumado con la salsa y cocine hasta que esté caliente.
5. **Cocine** el fettuccine en una olla grande con agua hirviendo con sal de 3 a 4 minutos, hasta que esté al dente.
6. **Corte** el salmón restante en tiras delgadas. Integre las tiras de salmón y los chícharos a la salsa y sazone con sal y pimienta.
7. **Escurra** la pasta y coloque en un tazón grande. Usando una cuchara bañe con la salsa y mezcle. Sirva caliente.

Si a usted le gustó esta receta, también le gustarán:

ravioli de salmón con limón amarillo y eneldo

92

penne con salmón ahumado

174

spaghetti con vodka y caviar

300

pappardelle marinara

Puede comprar bolsas preparadas de mariscos mixtos. Busque camarones, mejillones, lubina, rape, abadejo y salmón. Evite pescados ahumados como el abadejo ahumado.

Rinde 4 porciones

15 minutos

El tiempo que requiera la pasta

10 minutos

2

- 400 gramos (14 oz) de pappardelle fresco, hecho en casa (vea las páginas 16 a 25) o comprado
- $\frac{1}{3}$ taza (90 ml) de aceite de oliva extra virgen
- 1 cebolla, finamente picada
- 2 dientes de ajo, finamente picados
- $\frac{2}{3}$ taza (150 ml) de vino blanco seco
- $\frac{1}{2}$ taza (125 ml) de caldo de pescado o jugo de almejas
- 2 tazas (500 ml) de salsa de jitomate para pasta (vea la página 52)
- 3 cucharadas de pasta de jitomate
- 1 kilogramo (2 lb) de mezcla de mariscos frescos (camarones, filetes de pescado, mejillones sin concha)
- Sal y pimienta negra recién molida
- $\frac{1}{3}$ taza (10 g) de perejil fresco, toscamente picado

1. **Si utiliza pasta hecha en casa,** prepare el pappardelle siguiendo las instrucciones de las páginas 16 a 25.
2. **Para preparar la salsa,** caliente el aceite en una sartén grande sobre fuego medio-alto. Saltee la cebolla y el ajo alrededor de 3 minutos, hasta que estén suaves.
3. **Añada** el vino y cocine a fuego lento durante un minuto. Integre el caldo, la salsa de jitomate y la pasta de jitomate y lleve a ebullición, mezclando de vez en cuando.
4. **Agregue** la mezcla de mariscos, tape y cocine a fuego lento de 3 a 5 minutos, hasta que los mariscos estén totalmente cocidos. Sazone con sal y pimienta.
5. **Cocine** la pasta en una olla con agua hirviendo con sal de 3 a 4 minutos, hasta que esté al dente.
6. **Escurra** la pasta y regrese a la olla. Añada la salsa marinara y el perejil. Mezcle hasta integrar por completo. Sirva caliente.

Si a usted le gustó esta receta, también le gustarán:

spaghetti con mariscos

penne con pez espada y salmón

spaghetti con mariscos en papillote

pappardelle con salchicha y hongos porcini

Los hongos porcini frescos sólo están disponibles a finales del verano y durante el otoño, pero también puede utilizar hongos deshidratados. Sólo se necesita una pequeña cantidad de hongos porcini deshidratados para agregar un sabor intenso al platillo.

- Rinde 4 porciones
- 30 minutos
- El tiempo que requiera la pasta
- 50 minutos
- 2

- 400 gramos (14 oz) de pappardelle fresco, hecho en casa (vea las páginas 16 a 25) o comprado
- 2 cucharadas de aceite de oliva extra virgen
- 1 cucharada de mantequilla
- 1 cebolla, finamente picada
- 350 gramos (12 oz) de salchichas de cerdo italianas, sin piel y desmoronadas
- 30 gramos (1 oz) de hongos porcini deshidratados, remojados en agua tibia durante 10 minutos, escurridos y picados
- ¼ taza (60 ml) de vino blanco seco
- 2 tazas (400 g) de jitomates de lata, con su jugo
- 2 hojas frescas de salvia, finamente picadas
- Sal y pimienta negra recién molida
- ¼ taza (30 g) de queso parmesano recién rallado

1. **Si utiliza pasta hecha en casa,** prepare el pappardelle siguiendo las instrucciones de las páginas 16 a 25.
2. **Caliente** el aceite y la mantequilla en una sartén grande sobre fuego medio. Añada la cebolla y saltee alrededor de 3 minutos, hasta que esté suave.
3. **Añada** la salchicha y saltee alrededor de 5 minutos, hasta que esté dorada por todos lados. Agregue los hongos y el vino; cocine hasta que el vino se haya evaporado. Añada los jitomates y cocine a fuego lento alrededor de 20 minutos, hasta que la salsa espese. Integre la salvia y sazone con sal y pimienta.
4. **Cocine** la pasta en una olla grande con agua hirviendo con sal de 3 a 4 minutos, hasta que esté al dente.
5. **Escurra perfectamente** y agregue a la sartén con la salsa. Saltee durante un minuto sobre fuego alto. Espolvoree con el queso parmesano y sirva caliente.

Si a usted le gustó esta receta, también le gustarán:

festonati con salchichas italianas y brócoli

196

garganelli con salsa cremosa de salchicha

202

fettuccine con albóndigas

Puede variar este platillo reemplazando la carne de res molida por carne de cerdo molida. Para obtener un sabor más picante, añada una pizca de chile molido junto con el ajo y la salvia en el paso 5.

Rinde 4 porciones

30 minutos

El tiempo que requiera la pasta

50 minutos

2

- 400 gramos (14 oz) de fettuccine fresco, hecho en casa (vea las páginas 16 a 25) o comprado
- 2 calabacitas (zucchini/courgettes) pequeñas, partidas en rebanadas delgadas
- 500 gramos (1 lb) de jitomates maduros
- ¼ taza (60 ml) de aceite de oliva extra virgen
- 2 cebollitas de cambray, partes blancas y verdes rebanadas por separado
- 2 dientes de ajo, finamente picados
- 4 hojas de salvia, finamente picadas
- 1 cucharada de romero fresco, finamente picado
- Sal
- 350 gramos (12 oz) de carne magra de res molida
- 1 huevo grande, ligeramente batido
- 2 tazas (120 g) de migas frescas de pan
- 2 cucharadas de albahaca fresca, finamente picada
- 2 cucharadas perejil fresco, finamente picado
- Pimienta negra recién molida

1. **Si utiliza pasta hecha en casa,** prepare el fettuccine siguiendo las instrucciones de las páginas 16 a 25.
2. **Cocine** las calabacitas en una olla con agua hirviendo con sal de 3 a 5 minutos, hasta que estén suaves. Retire del fuego y reserve el líquido en el que hirvieron.
3. **Blanquee** los jitomates en agua hirviendo durante 2 minutos. Escurra perfectamente, retire la piel y pique.
4. **Caliente** 2 cucharadas de aceite en una sartén grande sobre fuego medio. Añada la parte blanca de las cebollitas de cambray y saltee durante 3 minutos, hasta que estén suaves.
5. **Añada** el ajo, la salvia, el romero y los jitomates. Sazone con sal. Cocine a fuego lento alrededor de 10 minutos, hasta que los jitomates se hayan desintegrado, integre las calabacitas guisadas. Retire del fuego.
6. **Mezcle** la carne de res, el huevo, la mitad del pan molido, la parte verde de las cebollitas de cambray, la albahaca y el perejil en un tazón grande. Sazone con sal y pimienta. Forma bolas del tamaño de una nuez de castilla. Ruede sobre el pan molido restante.
7. **Caliente** el aceite restante en una sartén grande sobre fuego medio alto. Añada las albóndigas y saltee de 8 a 10 minutos, hasta que estén cocinadas y ligeramente doradas. Escurra sobre toallas de papel.
8. **Regrese** el líquido reservado a una olla y lleve a ebullición. Agregue la pasta y cocine de 3 a 4 minutos, hasta que esté al dente. Escurra perfectamente. Pase a la sartén con la salsa y mezcle sobre fuego alto durante un minuto. Añada las albóndigas y mezcle hasta integrar por completo. Sirva caliente.

pappardelle con ragú de pato

Si no quiere comprar un pato entero, puede utilizar pechuga de pato preparada. Asegúrese de retirar la piel antes de cocinar. Si utiliza el pato entero, aproveche los huesos para hacer caldo.

- Rinde 6 porciones
- 30 minutos
- El tiempo que requiera la pasta
- 2 horas
- 2

- 400 gramos (14 oz) de pasta pappardelle fresca, hecha en casa (vea las páginas 16 a 25) o comprada
- 5 cucharadas de aceite de oliva extra virgen
- 1 cebolla morada, finamente picada
- 1 hoja de laurel
- 4 hojas de salvia, finamente picadas
- ½ zanahoria, finamente picada
- 1 cucharada de perejil fresco, finamente picado
- 2 hojas de apio, finamente picadas
- 90 gramos (3 oz) de jamón, picado
- 1 pato (de aproximadamente 1.5 kg/ 3 lb), limpio y cortado en 4 piezas
- ⅔ taza (150 ml) de vino tinto seco
- 2 tazas (400 g) de jitomates de lata, con su jugo
- Sal y pimienta negra recién molida
- ¾ taza (180 ml) de caldo de res (hecho en casa o de cubo)
- ½ taza (60 g) de queso parmesano recién rallado

1. **Si utiliza pasta hecha en casa,** prepare el pappardelle siguiendo las instrucciones de las páginas 16 a 25.
2. **Caliente** el aceite en una olla grande sobre fuego lento. Saltee la cebolla, hoja de laurel, salvia, zanahoria, perejil, hojas de apio y jamón durante 15 minutos.
3. **Añada** el pato y saltee sobre fuego alto durante 10 minutos, hasta dorar. Vierta el vino y cocine a fuego lento durante 15 minutos.
4. **Integre** los jitomates y sazone con sal y pimienta. Vierta el caldo, tape y cocine a fuego lento durante una hora.
5. **Deshuese** el pato y corte la carne en trozos pequeños. Regrese la carne a la salsa y cocine a fuego lento durante 15 minutos.
6. **Cocine** la pasta en una olla grande con agua hirviendo con sal de 3 a 4 minutos, hasta que esté al dente. Escurra e integre con la salsa. Espolvoree con el queso parmesano, mezcle hasta integrar por completo y sirva caliente.

Si a usted le gustó esta receta, también le gustarán:

pappardelle con salsa de pato

fettuccine estilo romano

pappardelle con salsa de carne

pappardelle con salsa de pato

Esta sencilla receta tiene una apariencia y sabor muy especial, pero se puede preparar en tan sólo unos minutos. Puede reemplazar el pato por pavo o pollo.

Rinde 6 porciones
15 minutos
El tiempo que requiera la pasta
15 minutos

2

- **400 gramos (14 oz) de pasta pappardelle fresca, hecha en casa (vea las páginas 16 a 25) o comprada**
- **750 gramos ($1\frac{1}{2}$ lb) de pechugas de pato**
- **2 cucharadas de aceite de oliva extra virgen**
- **1 cebolla, picada en cubos**
- **2 dientes de ajo, machacados**
- **400 gramos (14 oz) de jitomates, sin piel y toscamente picados**
- **$\frac{2}{3}$ taza (150 ml) de caldo de pollo**
- **Sal y pimienta negra recién molida**
- **$1\frac{1}{2}$ taza (150 g) de aceitunas negras**
- **10 hojas de salvia fresca**

1. **Si utiliza pasta hecha en casa,** prepare el pappardelle siguiendo las instrucciones de las páginas 16 a 25.
2. **Para preparar la salsa,** coloque las pechugas de pato en una olla mediana, cubra con agua y hierva durante 5 minutos. Cuele el agua y retire la piel de las pechugas. Corte la carne en tiras y reserve.
3. **Caliente** el aceite en una sartén grande sobre fuego medio. Añada la cebolla y el ajo y saltee alrededor de 3 minutos, hasta que estén suaves.
4. **Añada** las piezas de pato y saltee durante un minuto. Añada los jitomates y el caldo; cocine a fuego lento de 5 a 10 minutos, hasta que la salsa espese.
5. **Cocine** la pasta en una olla grande con agua hirviendo con sal de 3 a 4 minutos, hasta que esté al dente.
6. **Escurra** la pasta y añada a la sartén con la salsa. Sazone con sal y pimienta, agregue las aceitunas y la salvia y mezcle hasta integrar por completo. Sirva caliente.

Si a usted le gustó esta receta, también le gustarán:

pappardelle con ragú de pato

72

fettuccine estilo romano

76

pappardelle con salsa de carne

78

fettuccine estilo romano

Esta clásica receta romana también combina muy bien con fettuccine de espinaca o integral. Acompañe con una copa de vino tinto seco.

Rinde 4 porciones

30 minutos

El tiempo que requiera la pasta

1 hora 40 minutos

2

- 400 gramos (14 oz) de fettuccine fresco, hecho en casa (vea las páginas 16 a 25) o comprado
- 1/4 taza (60 ml) de aceite de oliva extra virgen
- 1 cebolla morada, finamente picada
- 1 zanahoria pequeña, finamente picada
- 1 tallo de apio, finamente picado
- 350 gramos (12 oz) de carne de res magra molida
- 1/3 taza (90 ml) de vino tinto seco
- 125 gramos (4 oz) de hígados de pollo, limpios y picados en cubos
- 2 tazas (400 g) de jitomates de lata, con su jugo
- 15 gramos (1/2 oz) de hongos porcini deshidratados, remojados en agua tibia durante 10 minutos y finamente picados
- 1 hoja de laurel
- Sal y pimienta negra recién molida
- 3/4 taza (75 g) de queso parmesano recién rallado
- 2 cucharadas de mantequilla, cortada en cubos

1. **Si utiliza pasta hecha en casa,** prepare el fettuccine siguiendo las instrucciones de las páginas 16 a 25.
2. **Caliente** el aceite en una olla grande sobre fuego medio. Añada la cebolla, la zanahoria y el apio y saltee alrededor de 5 minutos, hasta que la cebolla esté ligeramente dorada.
3. **Integre** la carne y saltee de 5 a 7 minutos, hasta que esté dorada. Vierta el vino y cocine alrededor de 4 minutos, hasta que se haya evaporado.
4. **Agregue** los hígados de pollo y cocine a fuego lento durante 15 minutos.
5. **Añada** los jitomates, los hongos y la hoja de laurel y sazone con sal y pimienta. Tape y cocine a fuego lento durante una hora. Retire la hoja de laurel.
6. **Cocine** la pasta en una olla grande con agua hirviendo con sal de 3 a 4 minutos, hasta que esté al dente. Escurra e integre con la salsa. Espolvoree con el queso parmesano e integre con los cubos de mantequilla. Mezcle hasta integrar por completo y sirva caliente.

Si a usted le gustó esta receta, también le gustarán:

pappardelle con ragú de pato

72

pappardelle con salsa de pato

74

pappardelle con salsa de carne

78

pappardelle con salsa de carne

Este maravilloso platillo lleva bastante tiempo para prepararse, pero vale la pena el esfuerzo. Acompañe con una ensalada mixta para completar una deliciosa y saludable comida familiar.

- Rinde 4 porciones
- 20 minutos
- El tiempo que requiera la pasta
- 2 horas 45 minutos
- 2

400 gramos (14 oz) de pasta pappardelle fresca, hecha en casa (vea las páginas 16 a 25) o comprada
3 cucharadas de aceite de oliva extra virgen
2 cucharadas de mantequilla
125 gramos (4 oz) de pancetta, toscamente picada
1 cebolla pequeña, finamente picada
1 zanahoria pequeña, finamente picada
1 tallo de apio, finamente picado
1 diente de ajo, finamente picado
500 gramos (1 lb) de carne de res molida
½ taza (125 ml) de vino blanco seco
2 cucharadas de pasta de jitomate (concentrado)
½ taza (125 ml) de caldo de res
Sal y pimienta negra recién molida
½ taza (125 ml) de leche
Queso parmesano recién rallado

1. **Si utiliza pasta hecha en casa,** prepare el pappardelle siguiendo las instrucciones de las páginas 16 a 25.
2. **Caliente** el aceite y la mantequilla en una olla grande sobre fuego medio. Añada la pancetta, cebolla, zanahoria, apio y ajo y saltee alrededor de 5 minutos, hasta que las verduras estén suaves.
3. **Agregue** la carne y saltee alrededor de 5 minutos, hasta que esté dorada. Vierta el vino y cocine a fuego lento de 2 a 3 minutos, hasta que se haya reducido más de la mitad.
4. **Integre** la pasta de jitomate, el caldo y los sazonadores. Lleve nuevamente a ebullición, cocine destapado a fuego muy lento alrededor de 2 horas 30 minutos, mezclando de vez en cuando. Agregue 2 cucharadas de leche si la salsa comienza a resecarse.
5. **Cocine** la pasta en una olla grande con agua hirviendo con sal de 3 a 4 minutos, hasta que esté al dente.
6. **Escurra** y pase a un tazón de servicio. Añada la salsa y mezcle hasta integrar por completo. Sirva caliente acompañando con el queso parmesano.

Si a usted le gustó esta receta, también le gustarán:

fettuccine estilo romano

lasagna con albóndigas

penne con salsa de carne

pappardelle de azafrán con salsa de cordero

Ésta es una receta clásica de la región de Umbría, en el centro de Italia. Esta pasta con infusión de azafrán y acompañada con una sustanciosa salsa de cordero, es la pasta perfecta para la comida de un domingo de invierno.

Rinde 6 porciones
30 minutos
1 hora
1 hora 30 minutos

3

MASA PARA LA PASTA

- 2¾ tazas (500 g) de harina simple + la necesaria para espolvorear
- 4 huevos grandes frescas + 2 yemas de huevos grandes frescos
- 1 cucharadita de azafrán molido, disuelto en 1 cucharada de agua caliente

SALSA

- ¼ taza (60 ml) de aceite de oliva extra virgen
- 3 cucharadas de mantequilla
- 1 pata de cordero de aproximadamente 1.2 kg (2½ lb)
- ½ taza (125 ml) de Vin Santo o jerez
- Sal y pimienta blanca recién molida
- 4 tazas (1 litro) de caldo de res
- 1 cebolla pequeña, finamente picada
- 2 cucharadas de harina de trigo (simple)
- 1 corazón de lechuga, cortado en tiras
- 1 cucharada de mejorana, finamente picada
- 6–8 hilos de azafrán, desmoronados

1. **Prepare** la pasta pappardelle utilizando los ingredientes de la lista, siguiendo las instrucciones de las páginas 16 a 25 y agregando el azafrán y el agua a los huevos.
2. **Para preparar la salsa,** caliente el aceite y la mantequilla en una olla grande sobre fuego alto y saltee el cordero de 7 a 8 minutos, hasta que esté dorado.
3. **Vierta** el vino o jerez y cocine hasta que se haya evaporado. Sazone con sal y pimienta blanca, reduzca el fuego y cocine por lo menos durante una hora, hasta que esté muy suave, agregando suficiente caldo para mantener húmeda la salsa.
4. **Retire** el cordero de la olla y corte la carne desde el hueso. Corte en tiras pequeñas.
5. **Agregue** 3 cucharadas de caldo de res a los jugos de cocción en la olla. Añada la cebolla y cocine a fuego lento durante 5 minutos. Agregue el cordero y cocine a fuego lento durante 5 minutos.
6. **Integre** la harina y 2 tazas (500 ml) del caldo. Añada la lechuga, la mejorana y el azafrán y sazone con sal y pimienta blanca. Cocine sobre fuego lento por lo menos durante 5 minutos o hasta que la lechuga se marchite y la salsa esté espesa.
7. **Mientras tanto,** cocine la pasta en una olla grande con agua hirviendo con sal de 3 a 4 minutos, hasta que esté al dente. Escurra perfectamente y pase a un tazón de servicio precalentado. Usando una cuchara bañe con la salsa y mezcle ligeramente. Sirva caliente.

fettuccine con pancetta y radicchio

El radicchio rojo de Treviso, también conocido como achicoria roja, tiene un maravilloso sabor ligeramente amargo.

Rinde 4 porciones

20 minutos

El tiempo que requiera la pasta

25 minutos

1

400 gramos (14 oz) de fettuccine fresco, hecho en casa (vea las páginas 16 a 25) o comprado
3 cucharadas de mantequilla
1 cebolla morada, finamente picada
1 taza (125 g) de pancetta, cortada en rebanadas delgadas
500 gramos (1 lb) de achicoria roja (radicchio), finamente troceada
Sal y pimienta negra recién molida
1 taza (250 ml) de vino tinto seco

1. **Si utiliza pasta hecha en casa,** prepare el fettuccine siguiendo las instrucciones de las páginas 16 a 25.
2. **Derrita** la mantequilla en una sartén grande sobre fuego medio. Añada la cebolla y saltee de 3 a 4 minutos, hasta que esté suave.
3. **Agregue** la pancetta y saltee alrededor de 5 minutos, hasta que esté crujiente.
4. **Añada** la achicoria y sazone con sal y pimienta. Vierta el vino y cocine a fuego lento hasta que se evapore.
5. **Cocine** la pasta en una olla grande con agua hirviendo con sal de 3 a 4 minutos, hasta que esté al dente.
6. **Escurra** y añada a la sartén con la achicoria. Mezcle cuidadosamente y sirva caliente.

Si a usted le gustó esta receta, también le gustarán:

tortellini con pancetta y poro

98

spaghetti con pimiento y pancetta

260

bucatini con salsa amatriciana

272

orecchiette con brócoli

Orecchiette, que en italiano significa "orejas pequeñas", proviene de la región de Puglia. Ahí se acostumbra hervir la pasta en el agua en que se cocinaron las verduras. Éste es un excelente método para conservar las vitaminas.

Rinde 4 porciones
5 minutos
40 minutos
1

400 gramos (14 oz) de brócoli
$^1/_4$ taza (60 ml) de aceite de oliva extra virgen
2 dientes de ajo, finamente picados
1 chile rojo fresco, sin semillas y partido en rebanadas delgadas
Sal
400 gramos (14 oz) de orecchiette fresca o seca comprada
$1^3/_4$ taza (200 g) de queso pecorino recién rallado

1. **Recorte** el tallo del brócoli y pique en cubos pequeños. Divida las cabezas del brócoli en flores pequeñas.
2. **Hierva** el brócoli en una olla grande con agua hirviendo con sal alrededor de 5 minutos, hasta que esté suave. Escurra perfectamente y reserve el agua de cocción para cocinar la pasta.
3. **Caliente** el aceite en una sartén grande sobre fuego medio. Agregue el ajo y saltee alrededor de 5 minutos, hasta que se dore ligeramente. Añada el brócoli y el chile, sazone con sal. Cocine a fuego lento alrededor de 5 minutos. Retire del fuego.
4. **Mientras tanto,** hierva el agua de cocción del brócoli, añada la pasta y cocine hasta que esté al dente.
5. **Escurra perfectamente** e integre con la salsa de brócoli en la sartén. Mezcle sobre fuego alto de 1 a 2 minutos. Espolvoree con el queso pecorino y sirva caliente.

Si a usted le gustó esta receta, también le gustarán:

orecchiette con brócoli y piñones

festonati con salchichas italianas y brócoli

orecchiette con salsa de pimiento asado

También puede preparar el pimiento en el horno. Barnice con un poco de aceite y ase alrededor de 30 minutos en la parte superior del horno a 200°C (400°F/gas 6), hasta que se queme por todos lados.

Rinde 4 porciones

20 minutos

30 minutos

2

4 pimientos (capsicums) rojos
400 gramos (14 oz) de pasta orecchiette fresca o seca comprada
1 taza (250 ml) de crema ligera (light)
2 tazas (100 g) de hojas de espinaca miniatura, sin tallos
$^{3}/_{4}$ taza (180 g) de queso feta, cortado en cubos

1. **Ase** los pimientos hasta que la piel se queme. Envuelva en una bolsa de papel durante 10 minutos y posteriormente retire la piel y las semillas. Rebane en tiras.
2. **Cocine** la pasta en una olla grande con agua hirviendo con sal hasta que esté al dente.
3. **Pase** los pimientos a un procesador de alimentos. Pique hasta que estén suaves, agregando gradualmente la crema.
4. **Vierta** la salsa de pimiento en una sartén grande y cocine a fuego lento durante 3 minutos.
5. **Escurra** la pasta y pase a la sartén con la salsa. Integre la espinaca y el queso feta. Mezcle hasta integrar por completo y sirva caliente.

Si a usted le gustó esta receta, también le gustarán:

ensalada de fusilli con pimientos y arúgula

116

penne con pimiento al horno

210

spaghetti con pimientos rellenos

310

orecchiette
con brócoli y piñones

El brócoli es una excelente fuente de betacaroteno. También contiene muchos componentes vegetales que ayudan a la prevención del cáncer.

Rinde 6 porciones
10 minutos
30 minutos

400 gramos (14 oz) de pasta orecchiette fresca o seca comprada
500 gramos (1 lb) de brócoli
1 taza (250 ml) de crème fraîche
Pesto (vea la página 106)
$\frac{3}{4}$ taza (135 g) de piñones, tostados

1

1. **Cocine** la pasta en una olla con agua hirviendo con sal hasta que esté al dente.
2. **Mientras tanto,** hierva el brócoli en una olla mediana con agua hirviendo con sal durante 5 minutos. Escurra y enjuague con agua fría con hielo para detener la cocción.
3. **Mezcle** la crème fraîche con el pesto en una sartén grande sobre fuego lento durante 2 minutos. Añada el brócoli y los piñones; cocine durante un minuto.
4. **Escurra** la pasta y pase a la sartén con la salsa. Mezcle hasta integrar por completo y sirva caliente.

Si a usted le gustó esta receta, también le gustarán:

fettuccine con pesto de piñones y nuez de castilla

38

orecchiette con brócoli

84

spaghetti con jitomates, arúgula y queso parmesano

252

ravioli con pesto de aceitunas

Las aceitunas, las alcaparras y las anchoas son ingredientes clásicos italianos que aportan un intenso sabor y un maravilloso aroma a este platillo.

Rinde 6 porciones
10 minutos
20 minutos
1

- ½ taza (125 g) de pasta de aceitunas negras
- ⅓ taza (90 ml) de aceite de oliva extra virgen
- 400 gramos (14 oz) de ravioli comprados, de preferencia rellenos de queso o espinaca
- 6 jitomates maduros grandes, cortados en cubos pequeños
- 1 cucharada de alcaparras en salmuera, enjuagadas
- 2 filetes de anchoa en aceite, enjuagados y finamente picados
- 10 hojas de albahaca fresca, troceadas
- Sal y pimienta negra recién molida

1. **Mezcle** la pasta de aceitunas con la mitad del aceite en un tazón grande.
2. **Cocine** la pasta en una olla grande con agua hirviendo con sal hasta que esté al dente.
3. **Escurra** e integre con la mezcla de la pasta de aceitunas y mezcle ligeramente. Rocíe con el aceite restante.
4. **Añada** los jitomates, las alcaparras, las anchoas y la albahaca. Sazone con sal y pimienta. Mezcle nuevamente y sirva de inmediato.

Si a usted le gustó esta receta, también le gustarán:

ensalada de farfalle con jitomates cereza y aceitunas

ensalada de pasta con berenjena y piñones

spaghetti integral con salsa picante

ravioli de salmón con limón amarillo y eneldo

Estos delicados ravioli funcionan muy bien como primer plato para una cena elegante. Acompañe con un vino blanco afrutado muy frío.

Rinde 4 porciones

30 minutos

El tiempo que requiera la pasta

10 minutos

3

RAVIOLI

- 400 gramos (14 oz) de masa para pasta fresca (vea las páginas 16 a 25)
- 125 gramos (4 oz) de rebanadas de salmón ahumado
- 1 clara de huevo
- 1½ cucharada de crema ligera
- 2 cucharaditas de eneldo fresco, picado en trozos grandes
- 3 cucharadas de fécula de maíz (maicena)
- 1 cucharadita de aceite

SALSA

- 1 cucharada de mantequilla
- 1 cucharada de harina de trigo (simple)
- ¾ taza (180 ml) de vino blanco
- ¾ taza (180 ml) de crema espesa
- ½ limón amarillo, exprimido
- 2 cucharadas de eneldo, toscamente picado
- Sal y pimienta negra recién molida

1. **Para elaborar los ravioli,** prepare la masa para la pasta siguiendo las instrucciones de las páginas 16 a 25. Deje reposar y extienda hasta obtener una lámina delgada. Corte en discos de 10 cm (4 in).
2. **Para preparar el relleno,** mezcle el salmón con una cucharada de clara de huevo, la crema y el eneldo en un procesador de alimentos. Pique hasta obtener una mezcla tersa.
3. **Espolvoree** la fécula de maíz sobre una superficie de trabajo y acomode los discos de pasta en hileras de cuatro. Barnice las orillas de cada segundo disco con la clara de huevo restante.
4. **Coloque** una cucharadita de la mezcla de salmón en el centro de la mitad de los discos de pasta. Cubra con los otros discos. Presione para sellar.
5. **Llene** hasta la mitad una olla grande con agua y un poco de aceite. Lleve a ebullición, agregue los ravioli y cocine de 2 a 3 minutos.
6. **Para preparar la salsa,** derrita la mantequilla en una olla grande, agregue la harina y cocine durante un minuto. Añada el vino y revuelva hasta obtener una mezcla tersa. Vierta la crema y el jugo de limón. Lleve a ebullición y cuando suelte el hervor, reduzca el fuego y cocine hasta que la salsa tenga una consistencia líquida. Integre el eneldo y sazone con sal y pimienta.
7. **Coloque** los ravioli en un platón de servicio precalentado y bañe con la salsa.

ravioli con salsa de calabaza

Para preparar el puré de calabaza, corte la calabaza a la mitad desde el tallo hacia la base. Retire las semillas y la pulpa. Cubra cada mitad con papel aluminio y hornee alrededor de 45 minutos con la parte cubierta con papel aluminio hacia arriba, hasta que esté suave. Retire la carne suave de la calabaza y haga un puré en una licuadora.

Rinde 6 porciones
10 minutos
30 minutos
1

400 gramos (14 oz) de ravioli frescos o congelados con relleno de carne de res
1 taza (250 ml) de crema ligera (light)
½ cucharadita de nuez moscada molida
⅔ taza (150 g) de calabaza cocinada o calabaza de invierno de lata, hecha puré
2 cucharadas de crema ácida
¼ taza (30 g) de queso parmesano, rallado
Un puño de cebollín fresco, cortado con tijeras

1. **Cocine** los ravioli en una olla grande con agua hirviendo con sal hasta que estén al dente.
2. **Para preparar la salsa,** caliente la crema ligera y la nuez moscada en una sartén mediana sobre fuego medio-alto durante 5 minutos, hasta que se reduzca a la mitad.
3. **Añada** el puré de calabaza, la crema ácida y el queso parmesano. Mezcle hasta integrar por completo y reduzca a fuego lento. Agregue los ravioli, mezcle hasta integrar por completo y sirva caliente adornando con el cebollín.

Si a usted le gustó esta receta, también le gustarán:

pappardelle con calabaza y azafrán

48

lasagna con calabaza de invierno

110

tortellini con pancetta y poro

El poro es rico en vitamina A, C y K y en fibra dietética. Pertenece a la misma familia que el ajo y la cebolla y aporta muchos de los mismos beneficios, además de que mejora la función cardiovascular.

Rinde 6 porciones
15 minutos
30 minutos
2

- 3 cucharadas (90 g) de mantequilla
- 2 poros grandes, la parte blanca finamente rebanada y las hojas verdes, picadas
- ⅓ taza (90 ml) de vermut seco
- 250 gramos (8 oz) de pancetta o tocino, picado en cubos
- ¾ taza (180 ml) de crema espesa
- ½ taza (75 g) de pistaches blanqueados, toscamente picados
- Sal y pimienta negra recién molida
- 400 gramos (14 oz) de tortellini fresco comprado, relleno de carne
- 4 cucharadas de queso parmesano recién rallado
- Una pizca de hilos de azafrán
- 1 taza (125 g) de queso provolone ahumado u otro queso ahumado firme, cortado en cubos pequeños

1. **Derrita** la mantequilla en una sartén grande sobre fuego medio. Añada la parte blanca de los poros y saltee durante un minuto. Agregue el vermut y deje evaporar durante un minuto.
2. **Reduzca** el fuego y cocine de 10 a 12 minutos, hasta que los poros estén suaves.
3. **Saltee** la pancetta durante un minuto en otra sartén a fuego medio. Agregue la crema y cocine a fuego lento de 3 a 4 minutos, hasta que la mezcla se haya reducido ligeramente.
4. **Agregue** los pistaches y los poros cocidos. Mezcle hasta integrar por completo. Añada las hojas picadas de los poros y mezcle nuevamente. Sazone con sal y pimienta.
5. **Mientras tanto,** cocine los tortellini en una olla grande con agua hirviendo con sal de 3 a 4 minutos, hasta que estén al dente. Escurra y pase a la sartén con la salsa.
6. **Añada** el queso parmesano y el azafrán y mezcle ligeramente sobre fuego lento. Agregue el queso provolone y mezcle nuevamente. Sazone con un poco más de pimienta y sirva caliente.

Si a usted le gustó esta receta, también le gustarán:

tortellini con salsa de leñador

spaghetti con pancetta, mozzarella y huevo

tortellini con salsa de leñador

Esta clásica receta es conocida en Italia como *alla boscaiolo* o salsa de leñador. Existen muchas variaciones, pero la receta siempre incluye champiñones y crema.

Rinde 6 porciones
15 minutos
20 minutos
2

400 gramos (14 oz) de tortellini fresco comprado
2 cucharadas de aceite de oliva extra virgen
250 gramos (8 oz) de champiñones, rebanados
250 gramos (8 oz) de jamón, toscamente picado
1 1/4 taza (300 ml) de crema ligera (light)
Ralladura fina de 1 limón amarillo
2 cucharadas de perejil fresco, finamente picado
Sal y pimienta negra recién molida

1. **Cocine** los tortellini en una olla grande con agua hirviendo con sal hasta que estén al dente.
2. **Para preparar la salsa,** caliente el aceite en una sartén grande sobre fuego medio. Saltee los champiñones alrededor de 5 minutos, hasta que estén suaves.
3. **Agregue** el jamón y cocine a fuego lento durante 2 minutos.
4. **Escurra** los tortellini y pase a la sartén con los champiñones. Agregue la crema, ralladura de limón y perejil. Sazone con sal y pimienta.
5. **Mezcle** alrededor de 2 minutos, hasta que esté caliente. Usando una cuchara pase a tazones de servicio y sirva caliente.

Si a usted le gustó esta receta, también le gustarán:

fettuccine con crema y jamón
36

tortellini con pancetta y poro
96

rigatoni con jamón y champiñones al horno
218

tortellini con habas verdes

Las habas verdes se encuentran en temporada a principios de la primavera. Contienen riboflavina, niacina, fósforo, potasio, folato, cobre y manganesio.

Rinde 6 porciones

15 minutos

20 minutos

2

- 750 gramos ($1\frac{1}{2}$ lb) de tortellini relleno de queso
- 1 kilogramo (2 lb) de habas verdes frescas en su vaina
- Sal y pimienta negra recién molida
- $\frac{1}{3}$ taza (90 ml) de aceite de oliva extra virgen
- 1 taza (50 g) de hojas de arúgula
- $\frac{2}{3}$ taza (150 g) de queso feta, desmoronado

1. **Cocine** los tortellini en una olla grande con agua hirviendo con sal, hasta que estén al dente. Escurra y regrese a la olla.
2. **Mientras tanto,** cocine las habas verdes en una sartén con agua hirviendo de 3 a 5 minutos, hasta que estén apenas suaves. Escurra y enjuague con agua fría.
3. **Retire** y deseche la piel dura del exterior. Agregue las habas verdes a los tortellini y caliente. Sazone con sal y pimienta.
4. **Agregue** el aceite, la arúgula y el queso feta. Revuelva sobre fuego lento hasta integrar por completo. Sirva caliente.

Si a usted le gustó esta receta, también le gustarán:

ravioli con pesto de aceitunas

90

spaghetti integral con calabacitas y pimiento

258

pasta con huevo al horno

Estos platillos de pasta pequeña son atractivos y apetecibles como plato principal. Utilice fettuccine integral o de espinaca si prefiere.

Rinde 6 porciones

20 minutos

El tiempo que requiera la pasta

1 hora

2

400 gramos (14 oz) de fettuccine hecho en casa o comprado

SALSA

3 cucharadas de mantequilla
3 cucharadas de harina simple
2 tazas (500 ml) de caldo de res
2 cucharadas de queso parmesano recién rallado
2 cucharadas de queso emmental (suizo), toscamente rallado
⅓ taza (60 ml) de crema espesa
Sal y pimienta blanca recién molida
1 pizca de nuez moscada recién molida

CUBIERTA

3 cucharadas de mantequilla
½ taza (50 g) de calabacitas (zucchini/courgettes), picadas
½ taza (50 g) de zanahorias, picadas en cubos
½ taza (50 g) de tallos de espárragos, rebanados en trozos pequeños
½ taza (50 g) de champiñones blancos, picados en cubos
3 cucharadas de agua
Sal y pimienta blanca recién molida
6 huevos pequeños
4 cucharadas de queso parmesano recién rallado

1. **Si utiliza pasta hecha en casa,** prepare el fettuccine siguiendo las instrucciones de las páginas 16 a 25.
2. **Para preparar la salsa,** derrita la mantequilla en una olla grande. Agregue la harina y mezcle hasta formar una pasta suave. Mezcle mientras cocina durante un minuto.
3. **Vierta** el caldo, batiendo para evitar que se formen grumos. Lleve a ebullición y hierva a fuego lento durante 10 minutos, mezclando constantemente, hasta que espese. Deje enfriar. Integre los quesos parmesano y emmental y la crema. Sazone con sal, pimienta blanca y nuez moscada.
4. **Para preparar la cubierta,** derrita la mantequilla en una sartén grande. Agregue las verduras y el agua y cocine a fuego lento hasta que las verduras estén suaves. Sazone con sal y pimienta blanca y retire del fuego.
5. **Cocine** la pasta en una olla grande con agua hirviendo con sal durante la mitad del tiempo que indica la envoltura. Escurra perfectamente. Mezcle con las verduras y la salsa de queso.
6. **Precaliente** el horno a 200°C (400°F/gas 6). Engrase con mantequilla seis recipientes individuales para el horno.
7. **Utilice** un tenedor grande para acomodar seis nidos de fettuccine y coloque en los platos. Rompa un huevo en el centro de cada uno. Sazone con sal y pimienta blanca.
8. **Espolvoree** con el queso parmesano y hornee de 15 a 20 minutos, hasta que los huevos estén cocidos. Sirva muy caliente.

pizzocheri con col

La pasta pizzoccheri proviene de Valtellina, un valle de los Alpes en el norte de Italia. Está elaborada a base de una mezcla de trigo negro con harina simple, por lo que es más rica en fibra que la pasta fresca normal.

Rinde 6 porciones

1 hora

30 minutos

45 minutos

3

MASA PARA LA PASTA

- 2 1/3 tazas (350 g) de harina de trigo negro
- 2 tazas (300 g) de harina simple
- 3 huevos grandes
- 1/2 taza (125 ml) de leche
- 1 cucharadita de sal

RELLENO

- 250 gramos (8 oz) de papas, cortadas en cubos pequeños
- 180 gramos (6 oz) de col verde o Savoy, rallada
- 1/3 taza (90 ml) de mantequilla
- 2 dientes de ajo, finamente picados
- 4 hojas de salvia fresca
- Pimienta negra recién molida
- 3/4 taza (75 g) de queso parmesano recién rallado
- 1/2 taza (120 g) de queso fontina, partido en rebanadas delgadas

1. **Para preparar la pasta,** mezcle ambos tipos de harina en un tazón grande. Agregue los huevos, la leche y la sal y mezcle hasta obtener una masa firme.
2. **Pase** la masa a una superficie de trabajo espolvoreada con un poco de harina y amase alrededor de 10 minutos, hasta que esté suave. Reserve durante 30 minutos.
3. **Extienda** la pasta hasta obtener un grosor de 3 mm (1/8 in). Corte en tiras de 5 mm (1/4 in) de ancho y 8 cm (3 in) de largo.
4. **Precaliente** el horno a 180°C (350°F/gas 4). Hierva agua con un poco de sal una olla. Agregue las papas y cocine durante 5 minutos, después añada la col. Cuando las papas estén casi listas, agregue la pasta. Cuando las verduras y la pasta estén cocinadas, escurra con cuidado.
5. **Derrita** la mantequilla con el ajo y la salvia en una olla pequeña sobre fuego medio. Cocine durante 2 minutos.
6. **Engrase** con mantequilla un refractario grande. Coloque la pasta y las verduras en el refractario. Rocíe con un poco de mantequilla, espolvoree con la pimienta y el queso parmesano y cubra con el queso fontina.
7. **Repita** la operación haciendo capas dos o tres veces hasta que todos los ingredientes estén en el recipiente. Termine con una capa de queso parmesano.
8. **Hornee** durante 25 minutos, hasta que el queso se dore. Sirva caliente.

pilas de lasagna con pesto

Trate de comprar jitomates orgánicos madurados en la planta para asegurarse de obtener la mejor calidad en cuanto a sabor y frescura. No pique el pesto muy finamente; debe mantener la consistencia de la nuez.

Rinde 6 porciones
40 minutos
El tiempo que requiera la pasta
10 minutos
2

LASAGNA

400 gramos (14 oz) de láminas de lasagna fresca
60 gramos (2 oz) de hojas de espinaca miniatura
4 jitomates madurados en la planta, partidos en rebanadas gruesas
4 bocconcini grandes (bolas de queso mozzarella), partidos en rebanadas gruesas
8 hojas de albahaca fresca

PESTO

2 dientes de ajo
2 cucharadas de piñones, tostados
1 manojo de hojas de albahaca fresca
2 cucharadas de queso parmesano, finamente rallado
½ taza (125 ml) de aceite de oliva extra virgen

1. **Si utiliza pasta hecha en casa,** prepare las láminas de lasagna siguiendo las instrucciones de las páginas 16 a 25.
2. **Para preparar el pesto,** coloque el ajo, los piñones, la albahaca y el parmesano en un procesador de alimentos y procese hasta obtener una mezcla con trozos grandes.
3. **Con el motor encendido,** agregue gradualmente el aceite y procese hasta que la mezcla esté tersa y completamente integrada.
4. **Corte** las láminas de lasagna en rectángulos de 30 x 7 cm (12 x 3 in). Cocine en una olla grande con agua hirviendo con sal de 3 a 4 minutos, hasta que esté al dente. Escurra perfectamente.
5. **Coloque** una lámina en el centro de cada plato de servicio y cubra con un par de hojas de espinaca, una rebanada de jitomate y una de bocconcini, una hoja de albahaca fresca y una cucharada del pesto.
6. **Cubra** con otra lámina de lasagna y continúe haciendo capas con los ingredientes colocados anteriormente, terminando con lámina de lasagna. Cada pila debe tener dos capas completas. Coloque una cucharada generosa de pesto sobre cada pila y sirva de inmediato.

Si a usted le gustó esta receta, también le gustarán:

ensalada de farfalle con jitomates cereza y aceitunas

ensalada de pasta con queso mozzarella miniatura y jitomates

spaghetti con pancetta, mozzarella y huevo

lasagna con albóndigas

Ésta es una lasagna muy especial originaria del sur de Italia donde tradicionalmente se servía en días de fiesta. Es un platillo muy abundante y puede constituir una comida completa por sí solo.

Rinde 8 porciones

1 hora

El tiempo que requiera la pasta

2 horas 30 minutos

3

400 gramos (14 oz) de lasagna hecha en casa o comprada
Salsa de Carne (vea la página 208)

ALBÓNDIGAS

350 gramos (12 oz) de carne de res molida
2 huevos grandes
2 cucharadas de queso pecorino recién rallado
Sal y pimienta negra recién molida
1 taza (250 g) de queso mozzarella, rebanado
3 huevos duros, finamente picados
$^{3}/_{4}$ taza (90 ml) de queso pecorino, recién rallado
2 cucharadas de mantequilla refrigerada, cortada en hojuelas

1. **Si utiliza pasta hecha en casa,** prepare las láminas de lasagna siguiendo las instrucciones de las páginas 16 a 25.
2. **Blanquee** las láminas de lasagna en agua hirviendo a fuego lento durante un minuto y extienda sobre una toalla húmeda.
3. **Prepare** la salsa de carne. Precaliente el horno a 200°C (400°/gas 6). Engrase un refractario.
4. **Para preparar las albóndigas,** mezcle la carne, los huevos y el queso pecorino en un tazón grande. Sazone con sal y pimienta y haga bolas del tamaño de una avellana.
5. **Añada** las albóndigas a la salsa de carne y cocine durante 10 minutos.
6. **Coloque** la primera capa de lasagna en el refractario previamente preparado. Cubra con un poco de la salsa de carne, del queso mozzarella, del huevo picado y del queso pecorino. Continúe haciendo capas de ingredientes hasta formar cinco capas y terminando con una capa de pasta.
7. **Agregue** trozos de mantequilla y espolvoree con el queso pecorino restante. Hornee de 35 a 40 minutos o hasta que se dore. Deje reposar a temperatura ambiente durante 15 minutos antes de servir.

Si a usted le gustó esta receta, también le gustarán:

fettuccine con albóndigas

70

lasagna con calabaza de invierno

110

spaghetti con albóndigas

306

lasagna con calabaza de invierno

Esta deliciosa lasagna vegetariana tiene capas de calabaza, romero, ajo, salsa bechamel cremosa, una crema espesa y una cubierta de queso parmesano.

Rinde 8 porciones

1 hora

El tiempo que requiera la pasta

70 minutos

3

- 400 gramos (14 oz) de láminas de lasagna fresca
- 1 calabaza butternut de invierno pequeña
- 2 ramas grandes de romero fresco
- 3 dientes de ajo, finamente picados
- 2 cucharadas de aceite de oliva extra virgen + el necesario para engrasar
- Sal y pimienta
- ¼ taza (60 g) de mantequilla
- 4 cucharadas de harina simple
- 4 tazas (1 litro) de leche
- 1 taza (125 g) de queso parmesano recién rallado + 1/2 taza (60 g) para la cubierta
- ½ taza (125 ml) de crema espesa para batir

1. **Si utiliza pasta hecha en casa,** prepare las láminas de lasagna siguiendo las instrucciones de las páginas 16 a 25.
2. **Precaliente** el horno a 220°C (425°F/gas 7). Retire la piel y las semillas de la calabaza y corte en cubos pequeños.
3. **Mezcle** la calabaza con el romero, el ajo, el aceite, sal y pimienta en un tazón grande. Pase a un refractario y hornee durante 25 minutos o hasta que se dore.
4. **Mientras tanto,** derrita la mantequilla en una sartén grande, agregue la harina y mezcle hasta que la harina absorba la mantequilla. Cuando se dore, agregue la leche y bata con ayuda de un batidor globo mientras se calienta (al principio parecerá tener grumos, pero desaparecerán a medida que el líquido se caliente.) Continúe mezclando y cocinando a fuego lento hasta que espese. Agregue la mezcla de la calabaza y mezcle hasta integrar por completo.
5. **Engrase** ligeramente con aceite un refractario y agregue suficiente salsa para cubrir la base del recipiente. Coloque una capa de láminas de lasagna sobre la salsa y agregue otra capa de salsa.
6. **Espolvoree** con el queso y cubra con otra capa de láminas de lasagna. Continúe colocando capas hasta que haya utilizado toda la salsa, la pasta para lasagna y el queso y asegúrese de terminar con una capa de pasta.
7. **Bata** la crema, agregue un poco de sal y posteriormente extienda la crema salada sobre la última capa de pasta. Espolvoree con más queso parmesano y tape con papel aluminio.
8. **Coloque** la lasagna en el horno y posteriormente reduzca la temperatura a 180°C (350°F/gas 4). Hornee durante 30 minutos.
9. **Retire** el papel aluminio y continúe horneando durante 15 minutos más. Retire la lasagna del horno y deje reposar durante 5 minutos. Sirva caliente.

Pasta
Corta

ensalada de farfalle con jitomates cereza y aceitunas

Las anchoas enteras o fileteadas se pueden encontrar en latas de 60 g (2 oz) en cualquier supermercado. Las anchoas saladas se encuentran en los supermercados y en tiendas especializadas en alimentos italianos.

- Rinde 6 porciones
- 15 minutos
- 30 minutos
- 15-20 minutos
- 1

500 gramos (1 lb) de farfalle
1/4 taza (60 ml) de aceite de oliva extra virgen
20 jitomates cereza, partidos en mitades
1 cucharada de alcaparras en sal, enjuagadas
250 g (8 oz) de queso mozzarella fresco, escurrido y cortado en cubos pequeños
1 taza (50 g) de aceitunas negras, sin hueso
2 cucharadas de albahaca fresca, finamente picada
2 dientes de ajo, finamente picados
4 filetes de anchoa en aceite, escurridos

1. **Cocine** la pasta en una olla grande con agua hirviendo con sal hasta que esté al dente. Escurra y deje enfriar bajo el chorro de agua fría. Escurra la pasta nuevamente y seque sobre una toalla de cocina limpia.
2. **Pase** a una ensaladera grande. Añada 2 cucharadas del aceite y mezcle hasta integrar por completo. Agregue los jitomates, las alcaparras, el queso mozzarella, las aceitunas y la albahaca. Mezcle hasta integrar por completo.
3. **Caliente** el aceite restante en una sartén pequeña sobre fuego medio. Añada el ajo y saltee de 3 a 4 minutos, hasta que se dore.
4. **Añada** las anchoas y saltee de 2 a 3 minutos, presionando con ayuda de un tenedor, hasta que se hayan disuelto en el aceite.
5. **Rocíe** la pasta con la mezcla y revuelva hasta integrar por completo. Deje enfriar durante 30 minutos antes de servir.

Si a usted le gustó esta receta, también le gustarán:

pappardelle caprese

28

penne con jitomates cereza

14

ensalada de pasta con queso mozzarella miniatura y jitomates

124

ensalada de fusilli
con pimientos y arúgula

El pimiento es una fuente importante de nutrientes que aporta vitaminas C, K y B6, así como betacaroteno, tiamina, ácido fólico y muchos fitoquímicos con propiedades antioxidantes.

Rinde 6 porciones
20 minutos
40 minutos
1

- **500 gramos (1lb) de fusilli o ruotini**
- **½ taza (125 ml) de aceite de oliva extra virgen**
- **2 pimientos (capsicums) rojos, sin semillas y rebanados longitudinalmente en 4 ó 6 tiras**
- **1 pimiento (capsicum) amarillo, sin semillas y rebanado longitudinalmente en 4 ó 6 tiras**
- **1 manojo de arúgula (rocket), picada**
- **¾ taza (90 g) de queso pecorino añejo o queso parmesano recién rallado**
- **10 hojas de albahaca, troceadas**
- **2 cucharadas de jugo de limón amarillo recién exprimido**
- **Sal y pimienta negra recién molida**

1. **Cocine** la pasta en una olla con agua hirviendo con sal hasta que esté al dente. Escurra y deje enfriar bajo el chorro de agua fría. Escurra la pasta nuevamente y seque sobre una toalla limpia. Coloque en un platón de servicio con dos cucharadas de aceite. Revuelva ligeramente.
2. **Cocine** los pimientos bajo el asador del horno caliente, volteándolos frecuentemente, hasta que la piel se queme.
3. **Coloque** dentro de una bolsa de plástico, cierre bien y deje reposar durante 10 minutos. Saque de la bolsa y retire la piel. Limpie todos los residuos de la piel quemada con toallas de papel. No enjuague los pimientos ya que esto puede reducir su delicioso sabor.
4. **Corte** los pimientos en tiras delgadas. Añada al platón de la pasta junto con la arúgula, el queso y la albahaca. Revuelva ligeramente.
5. **Vierta** el aceite restante en un tazón pequeño junto con el jugo de limón amarillo, sal y pimienta y bata hasta integrar por completo. Rocíe sobre la ensalada. Mezcle hasta integrar por completo y sirva.

Si a usted le gustó esta receta, también le gustarán:

ensalada de pasta con berenjena y piñones

122

fusilli con espinaca y pimiento

148

spaghetti con pimiento y pancetta

260

ensalada de pasta con toronja

La pasta ditalini en esta receta es una clase de maccheroni que se utiliza más frecuentemente en sopas como la minestrone. Las toronjas rosadas tienen un sabor fresco, sin ser demasiado ácidas, y añaden color y sabor al platillo.

- Rinde 4 porciones
- 25 minutos
- 1 hora
- 15 minutos
- 1

2 toronjas rosadas grandes
2 tazas (400 g) de granos de maíz de lata (maíz tierno), escurrido
2 cucharadas de aceite de oliva extra virgen
2 cucharadas de mayonesa
Sal y pimienta blanca recién molida
350 gramos (12 oz) de pasta ditalini u otra pasta tubular corta
1 manojo de albahaca fresca, troceada
Hojas frescas de menta, para adornar

1. **Corte** la toronja por la mitad y retire la carne sin romper la piel. Pique la carne en trozos grandes. Envuelva las pieles vacías en plástico adherente y refrigere hasta el momento de usar.
2. **Mezcle** los granos de maíz, la toronja, el aceite y la mayonesa en un tazón grande. Sazone con sal y pimienta blanca.
3. **Cocine** la pasta en una olla grande con agua hirviendo con sal hasta que esté al dente. Escurra y enjuague bajo el chorro de agua fría. Escurra de nuevo y seque sobre una toalla de cocina limpia.
4. **Coloque** la pasta en el tazón con la mezcla de toronja e integre ligeramente. Añada la albahaca. Refrigere durante una hora.
5. **Retire** las pieles de toronja del refrigerador y rellene con la mezcla de la pasta. Adorne con las hojas de menta y sirva.

Si a usted le gustó esta receta, también le gustarán:

penne con ricotta, calabacita y naranja

154

spaghetti con jitomates y limón amarillo

254

fusilli frío con jitomate y cebolla

Para añadir sabor adicional, agregue cubos o ralladura de queso parmesano a esta sencilla ensalada de pasta.

Rinde 6 porciones
15 minutos
30 minutos
15 minutos
1

500 gramos (1 lb) de fusilli o ruotini
$\frac{1}{3}$ taza (90 ml) de aceite de oliva extra virgen
750 gramos (1 $\frac{1}{2}$ lb) de jitomates corazón de buey o criollo maduros y firmes, sin piel y toscamente picados
1 cebolla morada grande, finamente picada
2 dientes de ajo, finamente picados
3 cucharadas de albahaca fresca, finamente picada
1-2 chiles secos, desmoronados (opcional)
Sal

1. **Cocine** la pasta en una olla grande con agua hirviendo con sal hasta que esté al dente. Escurra y enjuague bajo el chorro de agua fría. Escurra nuevamente y seque sobre una toalla de cocina limpia. Pase a una ensaladera.
2. **Añada** 2 cucharadas de aceite y mezcle hasta integrar por completo. Añada los jitomates, cebolla, ajo, albahaca, el aceite restante y, si lo desea, los chiles.
3. **Sazone** con sal y mezcle hasta integrar por completo. Sirva a temperatura ambiente o refrigere durante 30 minutos.

Si a usted le gustó esta receta, también le gustarán:

farfalle con jitomates cereza y aceitunas 114

maccheroni con salsa de cebolla 138

ensalada de pasta con berenjena y piñones 122

ensalada de pasta con berenjena y piñones

La berenjena pertenece a la misma familia de los jitomates y las papas. Es una excelente fuente de fibra y de vitaminas B1 y B6, así como de potasio.

Rinde 6 porciones
30 minutos
1 hora
20 minutos
2

1 berenjena (aubergine) grande con piel, cortada en rebanadas de 1 cm ($\frac{1}{2}$ in) de grueso
Sal gruesa de mar
2 tazas (500 ml) de aceite de oliva, para freír
2 pimientos (capsicums) amarillos
$\frac{1}{3}$ taza (90 ml) de aceite de oliva extra virgen
1 cebolla grande, finamente picada
2 dientes de ajo, finamente picados
Salt
2 cucharadas de piñones
500 gramos (1 lb) de pasta ditalini u otra pasta tubular corta
2 cucharadas de alcaparras en sal, enjuagadas
1 taza (100 g) de aceitunas verdes, sin hueso y toscamente picadas
1 manojo pequeño de albahaca fresca, troceada
2 cucharadas de perejil fresco, finamente picado
1 cucharada de orégano fresco, finamente picado

1. **Coloque** la berenjena en un colador y espolvoree con la sal de mar. Deje escurrir durante una hora y pique en cubos pequeños.
2. **Caliente** el aceite en una sartén grande sobre fuego medio-alto. Fría las rebanadas de berenjena en tandas de 5 a 7 minutos cada una, hasta que estén suaves y doradas. Escurra sobre toallas de papel.
3. **Cocine** los pimientos bajo el asador del horno caliente, volteando frecuentemente, hasta que la piel esté negra.
4. **Coloque** dentro de una bolsa de plástico, cierre y deje reposar durante 10 minutos. Saque de la bolsa y retire la piel. Limpie todos los residuos de la piel quemada con toallas de papel. No enjuague los pimientos ya que esto puede reducir su delicioso sabor. Pique en cubos pequeños.
5. **Caliente** 3 cucharadas de aceite de oliva extra virgen en una sartén pequeña sobre fuego medio. Añada la cebolla, el ajo y una pizca de sal y saltee alrededor de 5 minutos hasta que se doren. Tape y hierva a fuego lento durante 15 minutos.
6. **Tueste** los piñones en una sartén antiadherente sobre fuego medio durante 3 ó 4 minutos.
7. **Mientras tanto,** cocine la pasta en una olla grande con agua hirviendo con sal hasta que esté al dente. Escurra y deje enfriar bajo el chorro de agua fría. Escurra nuevamente y seque sobre una toalla de cocina limpia.
8. **Pase** a un tazón de servicio grande y mezcle hasta integrar por completo con la berenjena, alcaparras, pimiento, cebolla guisada con el ajo, piñones, aceitunas, albahaca, perejil y orégano. Sirva caliente.

ensalada de pasta con queso mozzarella miniatura y jitomate

Las bolas pequeñas de mozzarella son mejor conocidas como *bocconcini*. De ser posible, busque *mozzarella di bufala*, una especialidad del sur de Italia elaborado a base de leche de búfala.

Rinde 6 porciones
10 minutos
10-12 minutos
1

- 500 gramos (1 lb) de farfalle
- 1/3 taza (90 ml) de aceite de oliva extra virgen
- 400 gramos (14 oz) de bolas pequeñas de mozzarella (bocconcini)
- 16 jitomates cereza, partidos a la mitad
- 2 cebollitas de cambray, finamente picadas
- 1 corazón de apio, finamente rebanado
- Jugo de 1 limón amarillo recién exprimido
- Sal y pimienta negra recién molida
- 1/2 cucharadita de orégano seco

1. **Cocine** la pasta en una olla grande con agua hirviendo con sal hasta que esté al dente. Escurra y deje enfriar bajo el chorro de agua fría. Escurra la pasta nuevamente y seque sobre una toalla de cocina limpia. Mezcle ligeramente con 2 cucharadas de aceite en un tazón de servicio.
2. **Añada** al tazón las bolas pequeñas de mozzarella, los jitomates, las cebollitas de cambray y el apio.
3. **Bata** el aceite restante con el jugo de limón amarillo, sal y bastante pimienta en un tazón pequeño. Vierta sobre la ensalada y mezcle hasta integrar por completo. Espolvoree con el orégano, mezcle nuevamente y sirva.

Si a usted le gustó esta receta, también le gustarán:

ensalada de farfalle con jitomates cereza y aceitunas

ensalada de pasta con berenjena y piñones

farfalline con verduras asadas

penne con pimientos, berenjena y calabacitas

La pasta de este platillo es el complemento perfecto para el sabor intenso de las verduras asadas con hierbas y aceite. También puede utilizar pasta penne integral.

Rinde 6 porciones
45 minutos
2 horas
30 minutos

2

- 500 gramos (1 lb) de pasta penne
- ⅓ taza (90 ml) de aceite de oliva extra virgen
- 1 pimiento (capsicum) rojo grande, sin semillas, descorazonado y partido en cuartos
- 1 berenjena grande, con piel, partida en rebanadas delgadas
- 2 calabacitas (zucchini/courgettes), finamente rebanadas a lo largo
- 12 hojas de albahaca fresca, troceadas
- 1 cucharada de menta fresca, finamente picada
- 1 diente de ajo, finamente picado
- ½ cucharada de ralladura de jengibre fresco
- Sal y pimienta negra recién molida

1. **Cocine** la pasta en una olla grande con agua hirviendo con sal hasta que esté al dente. Escurra y deje enfriar bajo el chorro de agua fría. Escurra nuevamente y seque sobre una toalla de cocina limpia. Pase a una ensaladera grande y mezcle con 2 cucharadas del aceite de oliva.
2. **Encienda** el asador del horno y ase los pimientos, volteando frecuentemente, hasta que las pieles estén quemadas. Envuelva en una bolsa de papel o en papel aluminio y deje reposar durante 10 minutos. Saque de la bolsa y retire la piel.
3. **Caliente** una sartén para asar. Cocine la berenjena y la calabacita en tandas de 5 a 8 minutos cada una, hasta que estén suaves.
4. **Pique** todas las verduras en trozos grandes. Agregue a la ensaladera junto con la pasta y mezcle hasta integrar por completo.
5. **Añada** la albahaca, menta, ajo y jengibre. Sazone con sal y pimienta y bañe con el aceite restante. Mezcle y deje reposar durante 2 horas antes de servir.

Si a usted le gustó esta receta, también le gustarán:

fusilli con espinaca y pimiento

spaghetti integral con verduras de verano

spaghetti con calabacitas

ensalada de pasta con atún y aceitunas

Este saludable platillo es ideal para las comidas de verano. Puede prepararse con anticipación y dejarse enfriar en el refrigerador hasta el momento de servir. Si lo prefiere, puede utilizar pasta integral.

Rinde 6 porciones
30 minutos
1 hora
15 minutos

1

20 jitomates cereza, partidos en mitades
Sal
150 gramos (5 oz) de atún de lata en aceite, escurrido
12 aceitunas negras
6 aceitunas verdes, sin hueso y picadas
2 cebollitas de cambray, toscamente picadas
1 tallo de apio, rebanado
1 zanahoria, toscamente picada
1 diente de ajo, finamente picado
$\frac{1}{3}$ taza (90 ml) de aceite de oliva extra virgen
Pimienta blanca recién molida
2 cucharadas de orégano seco
500 gramos (1 lb) de pasta penne
1 cucharada de perejil fresco, finamente picado
Albahaca fresca, troceada

1. **Espolvoree** los jitomates con sal. Coloque en un colador y deje escurrir durante una hora.
2. **Coloque** el atún en una ensaladera grande y desbarate con un tenedor. Agregue los jitomates, las aceitunas, las cebollitas de cambray, el apio, la zanahoria y el ajo. Bañe con casi todo el aceite y sazone con sal, pimienta blanca y el orégano.
3. **Mientras tanto,** cocine la pasta en una olla grande con agua hirviendo con sal hasta que esté al dente. Escurra y deje enfriar bajo el chorro de agua fría. Escurra la pasta nuevamente y seque sobre una toalla de cocina limpia.
4. **Pase** a la ensaladera con los jitomates y demás ingredientes y rocíe con el aceite restante. Añada el perejil y la albahaca y mezcle hasta integrar por completo. Sirva a temperatura ambiente.

Si a usted le gustó esta receta, también le gustarán:

ensalada de pasta con atún fresco

pasta con salsa de atún

ensalada de pasta
con atún fresco

El atún es una excelente fuente de proteína, vitamina B12, potasio y selenio. El atún aleta azul es también uno de los alimentos más ricos en omega-3.

- Rinde 6 porciones
- 20 minutos
- 30 minutos
- 12-15 minutos
- 1

- 400 gramos (14 oz) de atún fresco, en una sola rebanada, sin piel ni hueso y picado en cubos de 1.5 cm ($\frac{3}{4}$ in)
- Jugo de limón amarillo recién exprimido
- $\frac{1}{2}$ taza (125 ml) de aceite de oliva extra virgen
- 20 aceitunas negras, sin hueso y picadas
- 2 dientes de ajo, ligeramente machacados pero enteros
- 500 gramos (1 lb) de jitomates, sin piel y picados
- Sal y pimienta blanca recién molida
- 500 gramos (1 lb) de pasta conchiglie u otra pasta en forma de conchas medianas
- Hojas frescas de albahaca, troceadas

1. **Coloque** el atún en un tazón. Rocíe con el jugo de limón amarillo y $\frac{1}{4}$ taza (60 ml) del aceite. Añada las aceitunas. Deje marinar durante 30 minutos.
2. **Caliente** $\frac{1}{4}$ taza (60 ml) del aceite en una sartén grande sobre fuego medio. Agregue el ajo y saltee durante 1 ó 2 minutos. Retire del fuego y deje enfriar. Deseche el ajo.
3. **Pique** los jitomates en trozos grandes, espolvoree con sal y coloque en un colador. Deje escurrir durante 15 minutos.
4. **Mezcle** los jitomates y la infusión de aceite con ajo en el tazón con el atún. Sazone con sal y pimienta blanca.
5. **Cocine** la pasta en una olla grande con agua hirviendo con sal hasta que esté al dente. Escurra y deje enfriar bajo el chorro de agua fría. Escurra nuevamente y seque sobre una toalla de cocina limpia.
6. **Pase** a un tazón de servicio. Añada el atún sazonado y la albahaca. Mezcle hasta integrar por completo y sirva.

Si a usted le gustó esta receta, también le gustarán:

ensalada de pasta con atún y aceitunas

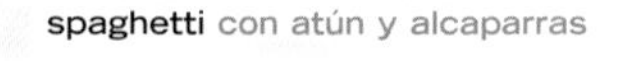

spaghetti con atún y alcaparras

farfalline con verduras asadas

La pasta farfalline en una versión más pequeña de la pasta en forma de moño llamada farfalle. Si usted lo prefiere, puede sustituir con pasta farfalle o penne. Los elotes miniatura añaden textura al platillo.

Rinde 6 porciones

15 minutos

30 minutos

1

- 2 calabacitas (zucchini/courgettes), finamente rebanadas a lo largo
- 1 berenjena (aubergine), con piel, finamente rebanada
- 4 jitomates grandes para ensalada
- 12 piezas de elotes miniatura (elote dulce)
- 500 gramos (1 lb) de pasta farfalline o tripolini
- 250 gramos (8 oz) de queso mozzarella fresco, cortado en cubos pequeños
- 1–2 cucharadas de menta fresca, finamente picada
- Sal y pimienta negra recién molida
- ¼ taza (60 ml) de aceite de oliva extra virgen

1. **Caliente** una sartén para asar sobre fuego alto. Ase las calabacitas y las rebanadas de berenjena en tandas de 5 a 8 minutos cada una, hasta que estén suaves.
2. **Blanquee** los jitomates en agua hirviendo durante un minuto. Retire la piel. Pique en trozos grandes. Blanquee los elotes miniatura en agua hirviendo con sal durante un minuto. Escurra y reserve.
3. **Cocine** la pasta en una olla grande con agua hirviendo con sal hasta que esté al dente. Escurra perfectamente e integre con las verduras, el queso mozzarella y la menta. Sazone con sal y pimienta y rocíe con el aceite.
4. **Sirva** caliente o a temperatura ambiente.

Si a usted le gustó esta receta, también le gustarán:

pasta con calabacitas crudas, queso pecorino y menta

134

penne con pimientos, berenjena y calabacitas

126

spaghetti integral con verduras de verano

256

penne con calabacitas crudas, queso pecorino y menta

Entre más pequeñas y tiernas sean las calabacitas serán más suaves y dulces. Es mejor preparar este platillo en primavera o verano, cuando las calabacitas se encuentran en su mejor temporada.

Rinde 6 porciones

20 minutos

20-30 minutos

10-12 minutos

1

- **6** **calabacitas (zucchini/courgettes) pequeñas muy frescas**
- **2** **cucharadas de jugo de limón amarillo recién exprimido**
- **Sal y pimienta negra recién molida**
- **$\frac{1}{3}$** **taza (90 ml) de aceite de oliva extra virgen**
- **manojo pequeño de menta fresca**
- **500** **gramos (1 lb) de pasta penne**
- **125** **gramos (1 taza) de queso pecorino añejo recién rallado o queso parmesano, partido en cubos**

1. **Corte** las calabacitas en juliana y coloque en un tazón grande.
2. **Añada** el jugo de limón amarillo, sal, pimienta, aceite y hojas de menta. Mezcle hasta integrar por completo y deje reposar de 20 a 30 minutos.
3. **Cocine** la pasta en una olla grande con agua hirviendo con sal hasta que esté al dente.
4. **Escurra** perfectamente y coloque en el tazón con las calabacitas. Mezcle hasta integrar por completo, sirva caliente acompañando con el queso.

Si a usted le gustó esta receta, también le gustarán:

farfalline con verduras asadas

132

spaghetti integral con verduras de verano

256

spaghetti con calabacitas

246

maccheroni con salsa de chocolate y nuez

Este original platillo proviene del noreste de Italia, en donde varios platillos de pasta se hacen con cocoa o chocolate.

Rinde 6 porciones

10 minutos

10-15 minutos

1

- 500 gramos (1 lb) de maccheroni (macarrones) u otra pasta corta
- ⅓ taza (90 g) de mantequilla
- ⅓ taza (70 g) de azúcar
- 2½ tazas (300 g) de nueces, finamente picadas
- ½ taza (75 g) de cocoa en polvo, sin azúcar
- 1 taza (125 g) de pan molido
- ½ cucharadita de canela molida
- Ralladura fina de 1 limón amarillo

1. **Cocine** la pasta en una olla grande con agua hirviendo con sal hasta que esté al dente. Escurra y pase a un tazón grande.
2. **Integre** la mantequilla. Añada el azúcar, nueces, cocoa, pan molido, canela y ralladura de limón y mezcle hasta integrar por completo. Sirva caliente.

Si a usted le gustó esta receta, también le gustará:

penne integral con atún, aguacate y hierbas fresca

180

maccheroni
con salsa de cebolla

La cebolla, al igual que el ajo y el poro, pertenece a la familia de las liláceas. Estos alimentos aportan muchos beneficios a la salud como la disminución del colesterol y la prevención de coágulos sanguíneos. Algunos estudios sugieren que las cebollas pueden ayudar a reducir la presión arterial y a prevenir el cáncer.

Rinde 6 porciones
10 minutos
55 minutos
2

- **¼ taza (60 ml) de aceite de oliva extra virgen**
- **¼ taza (60 ml) de mantequilla**
- **5 cebollas grandes, finamente rebanadas**
- **Sal y pimienta negra recién molida**
- **1 taza (250 ml) de vino blanco seco**
- **500 gramos (1 lb) de pasta maccheroni (macarrones)**
- **2 cucharadas de perejil fresco recién picado**
- **6 cucharadas de queso parmesano recién rallado**

1. **Caliente** el aceite en una sartén pequeña sobre fuego medio. Añada la mantequilla y saltee las cebollas de 5 a 7 minutos, hasta que comiencen a cambiar de color. Sazone con sal y pimienta.
2. **Reduzca** el fuego, tape y hierva a fuego lento alrededor de 40 minutos, hasta que las cebollas estén suaves y caramelizadas.
3. **Añada** el vino. Aumente a fuego medio y mezcle hasta que el vino se evapore. Retire del fuego.
4. **Mientras tanto,** cocine la pasta en una olla grande con agua hirviendo con sal hasta que esté al dente. Escurra perfectamente y pase a un platón de servicio precalentado.
5. **Vierta** la salsa de cebolla sobre la superficie. Agregue el perejil y el queso parmesano y mezcle hasta integrar por completo. Sirva caliente.

Si a usted le gustó esta receta, también le gustarán:

fusilli frío con jitomates y cebolla

120

spaghettini con hierbas frescas

248

penne con jitomates cereza

En estudios recientes se ha descubierto que los beneficios del licopeno que contienen los jitomates es sumamente efectivo en la prevención de muchos tipos de cáncer. Este nutriente no se destruye al cocinar los jitomates y, de hecho, es posible que el calor lo concentre aún más.

Rinde 6 porciones

15 minutos

30 minutos

- **$\frac{1}{3}$ taza (90 ml) de aceite de oliva extra virgen**
- **3 dientes de ajo, enteros pero ligeramente machacados**
- **500 gramos (1 lb) de jitomates cereza, partidos en mitades**
- **Sal y pimienta negra recién molida**
- **$\frac{1}{3}$ taza (60 g) de piñones**
- **500 gramos (1 lb) de pasta penne simple o integral**
- **250 gramos (8 oz) de espinaca miniatura fresca**

 1

1. **Caliente** el aceite en una sartén grande sobre fuego medio. Añada el ajo y saltee de 3 a 4 minutos, hasta dorar ligeramente. Retire el ajo y deseche.
2. **Agregue** los jitomates cereza y saltee a fuego alto durante 5 minutos. Sazone con sal y pimienta. Retire del fuego y reserve.
3. **Tueste** los piñones en una sartén pequeña sobre fuego medio-alto. No añada aceite ni grasa a la sartén.
4. **Mientras tanto,** cocine la pasta penne en una olla grande con agua hirviendo con sal durante 7 u 8 minutos. Agregue la espinaca y continúe cocinando hasta que la pasta esté al dente.
5. **Escurra** la pasta y la espinaca y coloque en la sartén con los jitomates cereza. Mezcle sobre fuego alto durante 2 ó 3 minutos.
6. **Añada** los piñones, sazone generosamente con pimienta molida y sirva caliente.

Si a usted le gustó esta receta, también le gustarán:

fettuccine con salsa de jitomate asado

40

penne con pimientos, berenjena y calabacitas

126

farfalle con salsa de yogurt y aguacate

Los chiles contienen fitoquímicos que ayudan a evitar el cáncer, reducir el colesterol y controlar el exceso de peso.

Rinde 6 porciones
30 minutos
20 minutos
1

- 500 gramos (1 lb) de pasta farfalle
- $\frac{1}{4}$ taza (60 ml) de aceite de oliva extra virgen
- 2 dientes de ajo, finamente picados
- 1 cebolla grande, picada
- 1 cucharada de vino blanco seco
- 1 aguacate maduro, sin piel, ni hueso y picado
- Jugo de 1 limón verde recién exprimido
- 1 taza (250 ml) de yogurt simple
- Sal y pimienta negra recién molida
- 1 chile rojo fresco, en rebanadas delgadas
- 1 corazón de apio, en rebanadas delgadas
- 2 cucharadas de alcaparras en sal, enjuagadas
- 1 cucharada de perejil fresco recién picado

1. **Cocine** la pasta en una olla grande con agua hirviendo con sal hasta que esté al dente.
2. **Mientras la pasta se está cocinando,** caliente 2 cucharadas de aceite en una sartén sobre fuego medio. Añada el ajo y la cebolla y saltee de 3 a 4 minutos, hasta que se doren ligeramente. Agregue el vino y cocine a fuego lento hasta que se evapore. Reserve.
3. **Rocíe** el aguacate con el jugo de limón para evitar que se oxide.
4. **Bata** el yogurt con el aceite restante en un tazón grande. Sazone con sal y pimienta. Añada el chile, el apio, las alcaparras y el perejil.
5. **Escurra** la pasta perfectamente y pase a un tazón grande de servicio. Añada el yogurt, la mezcla de cebolla y la mezcla de aguacate y mezcle hasta integrar por completo. Sirva caliente.

Si a usted le gustó esta receta, también le gustarán:

penne integral con atún, aguacate y hierbas frescas

180

spaghetti con yogurt y aguacate

238

pasta con jitomate, queso ricotta y pesto

El queso ricotta es un queso de suero, elaborado a base del líquido que se separa del requesón durante el proceso de producción del queso. Es naturalmente bajo en sal y grasa.

Rinde 6 porciones

15 minutos

40 minutos

 1

- 500 gramos (1 lb) de pasta rigatoni
- $\frac{1}{4}$ taza (60 ml) de aceite de oliva extra virgen
- 4 dientes de ajo, finamente picados
- 500 gramos (1 lb) de jitomates cereza, partidos en mitades
- 350 gramos (12 oz) de queso fresco ricotta, escurrido
- Pesto (vea la página 106)
- Sal y pimienta negra recién molida
- Hojas frescas de albahaca, para adornar

1. **Cocine** la pasta en una olla grande con agua hirviendo con sal hasta que esté al dente.
2. **Mientras la pasta se está cocinando,** caliente el aceite en una sartén grande sobre fuego medio. Añada el ajo y saltee durante 2 ó 3 minutos, hasta se dore ligeramente.
3. **Agregue** los jitomates cereza y cocine a fuego lento de 3 a 5 minutos hasta que estén suaves.
4. **Escurra** la pasta y coloque en un platón de servicio previamente calentado. Agregue el queso ricotta, el pesto y los jitomates. Sazone con sal y pimienta. Mezcle ligeramente, adorne con la albahaca y sirva caliente.

Si a usted le gustó esta receta, también le gustarán:

penne con queso ricotta, calabacitas y naranja

154

linguine con pesto, papa y ejotes

240

pasta con poro y jitomate

El scamorza es un queso elaborado a base de leche de vaca o búfala que se asemeja al queso mozzarella, con la diferencia de que es ahumado. Si desea puede sustituirlo por queso provolone.

Rinde 6 porciones
20 minutos
35 minutos
2

¼ taza (60 ml) de aceite de oliva extra virgen
2 dientes de ajo, finamente picados
2 poros grandes, finamente rebanados
750 gramos (1½ lb) de jitomates, sin piel y picados
Sal y pimienta negra recién molida
500 gramos (1 lb) de pasta rigatoni
1 taza (250 g) de queso scamorza (u otro queso ahumado), partido en cubos
Hojas frescas de arúgula, para adornar

1. **Caliente** el aceite en una sartén grande sobre fuego medio. Añada el ajo y saltee durante 2 ó 3 minutos. Agregue el poro y saltee durante 5 minutos más.
2. **Agregue** los jitomates y sazone con sal y pimienta. Hierva a fuego lento de 25 a 30 minutos, hasta que se reduzcan.
3. **Mientras tanto,** cocine la pasta en una olla grande con agua hirviendo con sal hasta que esté al dente. Escurra perfectamente y añada junto con el queso a la sartén con los jitomates.
4. **Mezcle** ligeramente sobre fuego medio durante 1 ó 2 minutos, adorne con la arúgula y sirva caliente.

Si a usted le gustó esta receta, también le gustarán:

spaghetti integral con salsa picante de jitomate
52

spaghetti con jitomates deshidratados
262

fusilli con espinaca y pimiento

La infusión de vino con chalote aporta a este platillo un ligero sabor a cebolla. Puede reemplazar la pasta de anchoas con dos filetes de anchoa machacados.

Rinde 6 porciones
15 minutos
10 minutos
1

500 gramos (1 lb) de hojas de espinaca fresca, finamente troceadas
1 pimiento (capsicum) rojo, sin semillas y finamente picado
1 pimiento (capsicum) amarillo, sin semillas y finamente picado
1 cucharada de pasta de anchoa
1 cucharada de agua
$\frac{1}{4}$ taza (60 ml) de aceite de oliva extra virgen
1 chalote, finamente picado
2 cucharadas de vino blanco seco
500 gramos (1 lb) de pasta fusilli
1 cucharada de tomillo. finamente picado

1. **Mezcle** la espinaca, ambos tipos de pimiento, la pasta de anchoa, agua y aceite en un tazón grande. Mezcle hasta integrar por completo.
2. **Envuelva** el chalote picado en un trozo de muselina (manta de cielo) y coloque en un tazón pequeño con el vino. Deje reposar durante 10 minutos.
3. **Mientras tanto,** cocine la pasta en una olla grande con agua hirviendo con sal hasta que esté al dente. Escurra perfectamente y regrese a la olla.
4. **Retire** el chalote del vino y deseche. Rocíe la pasta con el vino y mezcle ligeramente.
5. **Agregue** la pasta a la mezcla de espinaca y revuelva hasta integrar por completo. Espolvoree con el tomillo y sirva de inmediato.

Si a usted le gustó esta receta, también le gustarán:

orecchiette con salsa de pimiento asado 86

penne con pimiento al horno 210

penne con pimientos, berenjena y calabacitas 126

fusilli con frijoles y pesto

El pesto se elabora a base de albahaca, piñones, ajo y aceite de oliva extra virgen. Estos ingredientes mezclados con ejotes y nuez, hacen a este platillo una opción saludable para las comidas familiares. Si prefiere, puede sustituir la pasa normal con pasta integral. El sabor a nuez entonará perfectamente con el condimento.

Rinde 6 porciones

10 minutos

15 minutos

1

PESTO

1 manojo grande de albahaca fresca
2 cucharadas de piñones
½ taza (125 ml) de aceite de oliva extra virgen
2 dientes de ajo
Sal
4 cucharadas de queso parmesano recién rallado

PARA SERVIR

150 gramos (5 oz) de ejotes, cortados en trozos pequeños
500 gramos (1 lb) de pasta en espiral o ruotini
1 taza (150 g) de chícharos congelados
1 taza (200 g) de frijoles bayos de lata, escurridos
½ taza (50 g) de nuez, picada
2 cucharadas de aceite de oliva extra virgen
Hojas de albahaca, para adornar

1. **Para preparar el pesto,** mezcle la albahaca con los piñones, el aceite, ajo y la sal en un procesador de alimentos y pique hasta obtener una mezcla tersa. Integre el queso. Pase a un tazón de servicio grande.
2. **Hierva** agua con sal en una olla grande. Agregue los ejotes y hierva de nuevo. Añada la pasta y cocine durante 5 minutos. Agregue los chícharos y cocine hasta que la pasta esté al dente.
3. **Escurra** la pasta y las verduras, pase al platón de servicio grande con el pesto y mezcle ligeramente. Integre los frijoles bayos y la nuez.
4. **Rocíe** con el aceite y adorne con las hojas de albahaca. Sirva caliente.

Si a usted le gustó esta receta, también le gustarán:

pasta con jitomate, queso ricotta y pesto

spaghetti con pesto de nuez

linguini con pesto, papa y ejotes

ruote con pesto y jitomates cereza

La palabra italiana ruote significa "ruedas." Esta pasta se conoce comúnmente como ruedas de carreta por su forma.

- Rinde 4 porciones
- 15 minutos
- 20 minutos
- 1

1/4 taza (40 g) de piñones
1/2 taza (75 g) de almendras, blanqueadas
4 dientes de ajo
1 manojo de albahaca + las hojas necesarias para adornar
1/3 taza (50 g) de queso pecorino recién rallado
Sal y pimienta negra recién molida
1/3 taza (90 g) de aceite de oliva extra virgen
500 gramos (1 lb) de pasta ruote (ruedas de carreta)
500 gramos (1 lb) de jitomates cereza, partidos a la mitad

1. **Tueste** los piñones en una sartén grande sobre fuego medio alrededor de 3 minutos, hasta que estén ligeramente dorados. Reserve.
2. **Tueste** las almendras en una sartén sobre fuego medio alrededor de 3 minutos, hasta que estén ligeramente doradas.
3. **Muela** el ajo y la albahaca en un procesador de alimentos hasta obtener un puré suave. Añada las almendras y el queso pecorino y mezcle hasta obtener una mezcla tersa. Sazone con sal y pimienta.
4. **Añada** gradualmente el aceite, mezclando continuamente, hasta que el pesto adquiera una consistencia suave y espesa.
5. **Mientras tanto,** cocine la pasta en una olla grande con agua hirviendo con sal hasta que esté al dente. Escurra perfectamente y reserve 2 cucharadas del líquido de cocción.
6. **Agregue** al pesto el líquido de cocción reservado y mezcle hasta integrar por completo. Mezcle el pesto con los jitomates, piñones y la pasta en un tazón de servicio grande y mezcle hasta integrar por completo. Adorne con albahaca y sirva caliente.

Si a usted le gustó esta receta, también le gustarán:

tagliolini con pesto de almendras y albahaca

32

fettuccine con pesto de piñones y nuez de castilla

38

spaghetti con pesto de nuez

228

penne con queso ricotta, calabacita y naranja

Éste es otro saludable platillo vegetariano por la proteína que aporta el queso ricotta y las vitaminas de las calabacitas y la naranja. Si lo prefiere, puede reemplazar la pasta normal por pasta integral o de espinaca.

Rinde 6 porciones
10 minutos
20 minutos
1

- 2 tazas (500 g) de queso ricotta, escurrido
- Ralladura fina y jugo de 1 naranja
- $\frac{1}{3}$ taza (90 ml) de agua caliente
- $\frac{1}{4}$ taza (60 ml) de aceite de oliva extra virgen
- Sal y pimienta blanca recién molida
- 500 gramos (1 lb) de pasta penne
- 3 calabacitas medianas, partidas longitudinalmente en rebanadas delgadas
- 1 naranja, partida en rebanadas delgadas, para adornar

1. **Mezcle** el queso ricotta, ralladura y jugo de naranja y el agua en un tazón pequeño. Integre el aceite y sazone con sal y pimienta blanca.
2. **Cocine** la pasta en una olla grande con agua hirviendo con sal durante 5 minutos. Añada las calabacitas y cocine hasta que la pasta esté al dente y las calabacitas estén suaves.
3. **Escurra perfectamente** y pase a un tazón grande. Añada la salsa y mezcle hasta integrar por completo.
4. **Adorne** con las rebanadas de naranja y sirva de inmediato.

Si a usted le gustó esta receta, también le gustarán:

ensalada de pasta con toronja

118

spaghetti con jitomate y limón amarillo

254

penne con jitomates y queso de cabra

Las alcaparras son los brotes de un arbusto mediterráneo con el mismo nombre; para su conservación se encurten o se curan con sal. Son utilizadas en muchas cocinas del Mediterráneo, especialmente las del sur de Italia.

Rinde 6 porciones

20 minutos

20 minutos

 1

- 500 gramos (1 lb) de pasta penne
- $\frac{1}{4}$ taza (60 ml) de aceite de oliva extra virgen
- 1 diente de ajo, finamente picado
- 750 gramos ($1\frac{1}{2}$ lb) de jitomates cereza, partidos en mitades
- 12 aceitunas negras, sin hueso
- 1 cucharada de alcaparras en sal, enjuagadas
- Sal y pimienta negra recién molida
- 1 taza (250 g) de queso de cabra cremoso fresco
- 10 hojas de albahaca fresca, troceadas

1. **Cocine** la pasta en una olla grande con agua hirviendo con sal hasta que esté al dente.
2. **Mientras la pasta se está cocinando,** mezcle los jitomates, aceitunas y alcaparras. Sazone con sal y pimienta. Cocine a fuego alto durante 5 minutos, mezclando constantemente. Caliente el aceite en un sartén grande sobre fuego medio, añada el ajo y saltee durante unos minutos, hasta dorar ligeramente.
3. **Añada** los jitomates, aceitunas y alcaparras. Sazone con sal y pimienta. Cocine a fuego alto durante 5 minutos, mezclando constantemente.
4. **Escurra** el queso de cabra con el agua reservada en un tazón pequeño.
5. **Mezcle** el queso de cabra con el agua reservada en un tazón pequeño.
6. **Añada** la pasta a la sartén con los jitomates, integre el queso de cabra y la albahaca y mezcle ligeramente. Sirva caliente.

Si a usted le gustó esta receta, también le gustarán:

penne a los tres quesos

170

pasta con queso de cabra y alcachofas

168

spaghetti con pesto mediterráneo

230

pasta con coliflor

La coliflor es una excelente fuente de vitamina K. Tenga cuidado de no cocinarla en exceso; los floretes deben de preservar su forma y mantenerse ligeramente firmes.

Rinde 6 porciones

20 minutos

25 minutos

2

- 3 cucharadas de aceite de oliva extra virgen
- 2 dientes de ajo, finamente picados
- 750 gramos (1 ½ lb) de jitomates, sin piel y picados
- 1 cucharada de perejil fresco, finamente picado
- Sal y pimienta negra recién molida
- 500 gramos (1 lb) de pasta rigatoni
- 1 coliflor pequeña, separada en floretes
- 6 cucharadas de queso pecorino, toscamente rallado

1. **Caliente** el aceite en una sartén grande sobre fuego medio. Añada el ajo y saltee durante 3 ó 4 minutos, hasta dorar ligeramente. Agregue los jitomates y el perejil. Sazone con sal y pimienta y cocine a fuego lento alrededor de 20 minutos.
2. **Coloque** una olla grande con agua con sal sobre fuego alto y lleve a ebullición. Añada la pasta y lleve nuevamente a ebullición. Después de 7 minutos, agregue la coliflor. Escurra cuando la pasta esté al dente.
3. **Pase** la pasta y la coliflor a la salsa y mezcle ligeramente. Espolvoree con el queso pecorino y sirva caliente.

Si a usted le gustó esta receta, también le gustarán:

pasta con poro y jitomate

146

festonati con salchichas italianas y brócoli

196

penne con salsa picante de jitomate

Esta salsa también puede combinarse muy bien con pasta integral. Utilice menos chile si no le agrada la comida picante.

Rinde 6 porciones
15 minutos
30 minutos
1

- ⅓ taza (90 ml) de aceite de oliva extra virgen
- 150 gramos (5 oz) de pancetta o tocino, cortado en tiras pequeñas
- 2 chiles rojos frescos, sin semillas y finamente picados
- 5 dientes de ajo, finamente picados
- 1 kilogramo (2 lb) de jitomates, sin piel y toscamente picados
- Sal
- 1 cucharada de perejil fresco, finamente picado
- 500 gramos (1 lb) de pasta penne
- ½ taza (60 g) de queso pecorino recién rallado

1. **Caliente** el aceite en una sartén grande sobre fuego medio. Añada la pancetta y saltee alrededor de 5 minutos, hasta que esté crujiente. Usando una cuchara ranurada pase la pancetta a un plato precalentado.
2. **En el mismo aceite** saltee los chiles y el ajo durante 3 ó 4 minutos, hasta que el ajo se dore ligeramente.
3. **Integre** los jitomates y sazone con sal. Añada el perejil y cocine a fuego lento de 15 a 20 minutos, hasta que los jitomates se desbaraten y la salsa se espese. Agregue la pancetta y cocine a fuego lento.
4. **Mientras tanto,** cocine la pasta en una olla grande con agua hirviendo con sal hasta que esté al dente. Escurra e integre con la salsa. Mezcle hasta integrar por completo. Espolvoree con el queso pecorino y sirva caliente.

Si a usted le gustó esta receta, también le gustarán:

spaghetti hecho en casa con ajo y aceite

54

spaghetti hecho en casa con salsa de jitomate y ajo

56

spaghetti con pancetta, mozzarella y huevo

282

fusilli picante con acelga y piñones

Las hojas de acelga deben tener una apariencia fresca y ser de color verde brillante, sin tener decoloraciones de color café. Los tallos deben estar firmes. A diferencia de otras verduras, las hojas de acelga grandes no son necesariamente más duras que las pequeñas.

Rinde 6 porciones

15 minutos

20 minutos

1

- **750** gramos (1 ½ lb) de acelga, troceada
- Sal
- **¼** taza (60 g) de mantequilla
- **2** dientes de ajo, finamente rebanado
- **⅓** taza (60 g) de piñones
- **1 ½** taza (90 g) de migas de pan fresco
- **¼** taza (45 g) de uvas pasas doradas (sultanas)
- **500** gramos (1 lb) de pasta fusilli o ruotini normal o integral
- **1** chile rojo fresco pequeño, sin semillas y rebanado

1. **Cocine** la acelga durante 2 ó 3 minutos en una olla grande con agua y un poco de sal hasta que esté suave. Escurra perfectamente y coloque en un tazón con agua fría. Escurra nuevamente presionando para retirar el exceso de líquido.
2. **Derrita** la mantequilla en una sartén grande sobre fuego medio. Añada el ajo y saltee durante 3 ó 4 minutos, hasta dorar ligeramente.
3. **Añada** los piñones y migas de pan y saltee alrededor de 5 minutos, hasta que estén dorados y crujientes.
4. **Integre** las acelgas y las uvas pasas. Mezcle hasta integrar por completo y saltee durante 2 minutos. Sazone con sal.
5. **Mientras tanto,** cocine la pasta en una olla grande con agua hirviendo con sal hasta que esté al dente.
6. **Escurra perfectamente** y pase a la sartén con la mezcla de acelgas. Integre el chile y mezcle sobre fuego alto durante 2 minutos. Sirva caliente.

Si a usted le gustó esta receta, también le gustarán:

spaghetti hecho en casa con ajo y aceite

bucatini con salsa amatriciana

fusilli con queso ricotta y jitomates deshidratados

Los jitomates deshidratados pueden prepararse en casa rebanando jitomates frescos y en el horno a la temperatura más baja de 10 a 16 horas o hasta que se deshidraten pero que sigan estando flexibles. Se pueden almacenar hasta 6 meses en frascos cerrados al vacío.

Rinde 6 porciones
15 minutos
15 minutos
1

- 2 tazas (500 g) de queso ricotta fresco, escurrido
- 1 cucharada de menta fresca, finamente picada
- 1 cucharada de perejil fresco, finamente picado
- Sal y pimienta negra recién molida
- 125 gramos (4 oz) de jitomates deshidratados, remojados en agua caliente durante 10 minutos, escurridos y picados
- 1 diente de ajo, finamente picado
- 1 cucharada de alcaparras en sal, enjuagadas
- $\frac{1}{3}$ taza (90 ml) de aceite de oliva extra virgen
- 150 gramos (3 oz) de arúgula, picada, + la necesaria para adornar
- 500 gramos (1 lb) de pasta fusilli o rotinii

1. **Mezcle** el queso ricotta, la menta y el perejil en un tazón pequeño y bata con ayuda de un tenedor para hacer una crema suave. Sazone con sal y pimienta.
2. **Combine** los jitomates en otro tazón y agregue el ajo, las alcaparras y el aceite. Mezcle hasta integrar por completo.
3. **Pique** la arúgula y la mezcla de jitomate en un procesador de alimentos hasta obtener una pasta tersa.
4. **Mientras tanto,** cocine la pasta en una olla grande con agua hirviendo con sal hasta que esté al dente. Escurra perfectamente y reserve 2 cucharadas del líquido de cocción.
5. **Pase** la pasta a un tazón de servicio precalentado. Integre al pesto el líquido de cocción reservado. Agregue el queso ricotta y el pesto a la pasta y mezcle hasta integrar por completo. Adorne con la arúgula y sirva caliente.

Si a usted le gustó esta receta, también le gustarán:

pasta con jitomate, queso ricotta y pesto

144

spaghetti con pesto mediterráneo

230

penne con queso gorgonzola

Este queso azul lleva el nombre del pueblo de Gorgonzola, ubicado al norte de Milán, en el norte de Italia. Tiene una textura espesa y cremosa y un sabor intenso e irresistible.

Rinde 6 porciones

10 minutos

15 minutos

1

- **¼ taza (60 g) de mantequilla**
- **1 taza (250 g) de queso gorgonzola, desmoronado**
- **⅔ taza (150 ml) de crema ligera (light)**
- **500 gramos (1 lb) de pasta penne**
- **½ taza (60 g) de queso parmesano recién rallado**
- **Sal y pimienta negra recién molida**
- **Ramas de mejorana fresca, para adornar**

1. **Caliente** la mantequilla, el queso gorgonzola y la crema en baño María alrededor de 5 minutos, hasta que el queso se haya derretido. No mezcle.
2. **Mientras tanto,** cocine la pasta en una olla grande con agua hirviendo con sal hasta que esté al dente. Escurra e integre con la mezcla de queso gorgonzola.
3. **Mezcle** perfectamente para que la salsa cubra toda la pasta. Espolvoree con el queso parmesano. Sazone con sal y pimienta. Adorne con la mejorana y sirva caliente.

Si a usted le gustó esta receta, también le gustarán:

penne a los tres quesos

170

spaghetti con quesos ricotta y pecorino

226

spaghetti integral con queso gorgonzola

236

pasta con queso de cabra y alcachofas

En Italia esta receta se elabora con caprino, un queso fresco y cremoso elaborado a base de leche de cabra entera o descremada. El nombre de este queso proviene de la palabra *capra*, que en italiano significa cabra.

Rinde 6 porciones
15 minutos
25 minutos
2

- $\frac{1}{3}$ **taza (90 ml) de aceite de oliva extra virgen**
- 2 **dientes de ajo, finamente picados**
- 4 **alcachofas frescas, limpias y finamente rebanadas (vea las instrucciones para preparar alcachofas en la página 42)**
- 4 **cucharadas de perejil fresco, finamente picado**
- $\frac{1}{4}$ **taza (45 g) de piñones**
- $1\frac{3}{4}$ **taza (400 g) de queso de cabra suave y cremoso, como el queso chèvre**
- **Sal y pimienta negra recién molida**
- $\frac{1}{2}$ **taza (60 g) de queso pecorino recién rallado**
- 500 **gramos (1 lb) de pasta rigatoni**

1. **Caliente** 2 cucharadas del aceite en una sartén grande sobre fuego alto. Añada el ajo y saltee durante un minuto. Agregue las alcachofas y saltee alrededor de 5 minutos, hasta dorar ligeramente.
2. **Reduzca** el fuego, tape y cocine a fuego lento alrededor de 15 minutos, hasta que estén suaves. Si la sartén se seca mientras cocina, añada un poco de agua. Integre el perejil.
3. **Tueste** los piñones en una sartén pequeña hasta dorar ligeramente.
4. **Bata** el queso de cabra con los piñones, sal, pimienta y la mitad del queso pecorino en un tazón grande. Integre el aceite restante.
5. **Mientras tanto,** cocine la pasta en una olla grande con agua hirviendo con sal hasta que esté al dente. Escurra y reserve 2 cucharadas del líquido de cocción.
6. **Integre** la pasta y el líquido reservado con la mezcla de queso de cabra y revuelva hasta integrar por completo. Añada la mezcla de alcachofa. Espolvoree con el queso pecorino restante, mezcle hasta integrar por completo y sirva caliente.

Si a usted le gustó esta receta, también le gustarán:

fettuccine con alcachofas

42

bucatini con huevo y alcachofas

276

penne a los tres quesos

Pruebe este platillo con pasta integral. El sabor a nuez de la pasta combina perfectamente con los quesos. Si utiliza pasta integral, decore con hojas de mejorana fresca en vez de con albahaca.

Rinde 6 porciones
10 minutos
20 minutos
1

500 gramos (1 lb) de pasta penne
1 1/4 taza (150 g) de queso gruyère recién rallado
3/4 taza (90 g) de queso cheddar recién rallado
2/3 taza (150 g) de queso de cabra fresco y cremoso
1/2 taza (125 ml) de crema ligera (light)
2 cucharadas de cebollín fresco picado
Sal y pimienta negra recién molida
Un puño de hojas de albahaca fresca, para adornar

1. **Cocine** la pasta en una olla grande con agua hirviendo con sal hasta que esté al dente. Escurra y regrese a la olla.
2. **Agregue** los tres quesos, la crema y el cebollín picado. Mezcle ligeramente para integrar. Sazone con sal y pimienta.
3. **Usando** una cuchara pase a cuatro o seis refractarios individuales.
4. **Precaliente** el asador de su horno a fuego alto. Coloque los platos bajo el asador de 3 a 5 minutos, hasta que estén calientes y burbujeen. Espolvoree con las hojas de albahaca y sirva caliente.

Si a usted le gustó esta receta, también le gustarán:

penne con queso gorgonzola

166

spaghetti con quesos ricotta y pecorino

226

spaghetti integral con queso gorgonzola

236

cavatappi
con camarones y espárragos

Con su forma espiral angosta, el cavatappi es una pasta tubular en forma de S que se asemeja a un sacacorchos (el cual es el significado de su nombre en italiano). Puede sustituirla con otras variedades de pasta como la cavatelli, fusilli o coditos.

Rinde 6 porciones
10 minutos
25 minutos
1

¼ taza (60 ml) de aceite de oliva extra virgen
400 gramos (14 oz) de espárragos limpios, sin base dura y partidos en trozos
2 chalotes, finamente picados
Sal y pimienta negra recién molida
350 gramos (12 oz) de camarones, sin piel y limpios
500 gramos (1 lb) de pasta cavatappi

1. **Caliente** 2 cucharadas de aceite en una sartén grande sobre fuego medio. Añada los espárragos y los chalotes y saltee durante 4 ó 5 minutos, hasta que estén ligeramente suaves. Sazone con sal y pimienta.
2. **Caliente** las 2 cucharadas restantes de aceite en otra sartén sobre fuego medio. Agregue los camarones y saltee de 3 a 5 minutos, hasta que estén cocidos y adquieran un tono rosado.
3. **Mientras tanto,** cocine la pasta en una olla grande con agua hirviendo con sal hasta que esté al dente.
4. **Escurra** perfectamente y añada a la sartén con los espárragos. Integre los camarones y mezcle hasta integrar por completo. Sirva caliente.

Si a usted le gustó esta receta, también le gustarán:

farfalle con camarones y pesto

178

penne con jitomate y camarones

186

spaghetti con mariscos

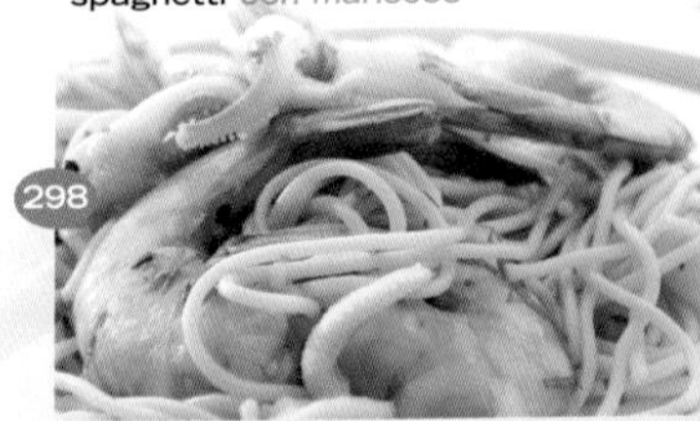
298

penne con salmón ahumado

El salmón contiene altos niveles de ácidos grasos omega-3, que según se piensa disminuyen el riesgo de padecer enfermedades del corazón y muchos tipos de cáncer, así como Alzheimer, diabetes y artritis reumatoide.

Rinde 6 porciones

10 minutos

15 a 20 minutos

 1

- **2** tallos de apio, rebanados
- **2** jitomates, finamente rebanados
- **¼** taza (60 ml) de vinagre de vino blanco
- **½** taza (125 ml) de aceite de oliva extra virgen
- Sal
- **150** gramos (5 oz) de salmón ahumado, finamente rebanado
- **2** dientes de ajo, enteros
- **500** gramos (1 lb) de pasta penne
- **6** cucharadas de queso parmesano recién rallado

1. **Mezcle** el apio con los jitomates, vinagre, aceite, sal y salmón ahumado en un tazón grande.
2. **Pique** los dientes de ajo con un tenedor y bata con él los ingredientes en el tazón. El ajo le dará sabor a la mezcla (cuide que los dientes de ajo no se desprendan).
3. **Mientras tanto,** cocine la pasta en una olla grande con agua hirviendo con sal hasta que esté al dente.
4. **Escurra perfectamente** y pase al tazón con la mezcla del salmón. Añada el queso parmesano y mezcle ligeramente. Sirva caliente o a temperatura ambiente.

Si a usted le gustó esta receta, también le gustarán:

fettuccine con salmón y chícharos

64

ravioli de salmón con limón amarillo y eneldo

92

spaghetti con vodka y caviar

300

penne con mariscos y naranja

Las barras de imitación de cangrejo están hechas a base de carne de pescado blanco finamente pulverizada, amoldada y curada para asemejarse al cangrejo de Alaska.

Rinde 6 porciones
15 minutos
20 minutos
1

- 16 barras congeladas de imitación de cangrejo (surimi)
- 1/3 taza (90 ml) de aceite de oliva extra virgen
- 2 dientes de ajo, finamente picados
- 2 cucharadas de perejil fresco, finamente picado
- 1 cucharada de ralladura de naranja, en juliana
- 1/3 taza (90 ml) de cognac
- 1/2 taza (125 ml) de jugo de naranja recién exprimido
- Sal y pimienta negra recién molida
- 1/2 taza (125 ml) de crema espesa
- 500 gramos (1 lb) de pasta penne

1. **Pique** los barras de cangrejo en trozos grandes.
2. **Vierta** el aceite en una sartén grande sobre fuego medio. Añada el ajo y el perejil y saltee durante un minuto.
3. **Añada** las barras de cangrejo y la ralladura de naranja. Mezcle hasta integrar por completo y saltee durante un minuto. Vierta el cognac y cocine hasta que se haya evaporado. Agregue el jugo de naranja. Sazone con sal y bastante pimienta.
4. **Cocine** sobre fuego lento aproximadamente 5 minutos, hasta que el líquido se haya evaporado. Añada la crema.
5. **Mientras tanto,** cocine la pasta en una olla grande con agua hirviendo con sal hasta que esté al dente.
6. **Escurra perfectamente** y pase a la sartén con la salsa. Mezcle ligeramente durante 1 ó 2 minutos. Sirva de inmediato.

Si a usted le gustó esta receta, también le gustarán:

penne con salmón ahumado

174

spaghetti con langosta

296

farfalle con camarones y pesto

Los camarones son una excelente fuente de proteína, selenio y vitamina B12. Para retirar el intestino de un camarón (desvenarlo) antes de cocinar, haga un corte poco profundo sobre la parte superior del camarón y retire la vena oscura que corre a lo largo.

Rinde 6 porciones
10 minutos
40 minutos
1

- 1/2 taza (90 g) de piñones
- 5 tazas (250 g) de arúgula (rocket)
- 1/3 taza (90 ml) de aceite de oliva extra virgen
- 2 dientes de ajo, finamente picados
- 1/2 taza (60 g) de queso parmesano recién rallado
- Sal y pimienta negra recién molida
- 250 gramos (8 oz) de camarones, sin piel y desvenados
- 500 gramos (1 lb) de pasta farfalle

1. **Coloque** los piñones en una sartén grande sobre fuego medio. No agregue aceite ni grasa para cocinar. Tueste alrededor de 5 minutos, sacudiendo constantemente la sartén, hasta que estén dorados.
2. **Pique** la arúgula y los piñones tostados en un procesador de alimentos junto con 5 cucharadas del aceite, el ajo y el queso parmesano hasta obtener una mezcla tersa. Sazone con sal y pimienta.
3. **Caliente** la cucharada restante del aceite en una sartén grande sobre fuego alto. Añada los camarones y saltee durante 3 ó 4 minutos, hasta que adquieran un tono rosado y estén completamente cocidos. Sazone con sal y pimienta.
4. **Mientras tanto,** cocine la pasta en una olla grande con agua hirviendo con sal hasta que esté al dente.
5. **Escurra** la pasta y añada a la sartén con los camarones. Integre el pesto de arúgula y mezcle ligeramente sobre fuego medio durante 1 ó 2 minutos. Sirva caliente.

Si a usted le gustó esta receta, también le gustarán:

fettuccine con callo de hacha

60

spaghetti con almejas, chile y arúgula

290

penne integral con atún, aguacate y hierbas frescas

La pasta integral contiene más fibra dietética que la pasta normal. También contiene más vitaminas, especialmente vitamina B, y esto hace que se sienta satisfecho durante más tiempo ya que se digiere con mayor lentitud.

Rinde 6 porciones
30 minutos
10 a 12 minutos
1

- 1 manojo pequeño de perejil fresco
- 1 manojo pequeño de albahaca fresca
- 1 manojo pequeño de eneldo fresco
- $\frac{1}{3}$ taza (90 ml) de aceite de oliva extra virgen
- Sal
- 2 cebollitas de cambray, finamente rebanadas
- 1 pimiento (capsicum) rojo grande, cortado en cubos pequeños
- 1 aguacate, sin piel ni hueso y rebanado
- Jugo de 1 limón amarillo recién exprimido
- 150 gramos (5 oz) de atún en aceite de lata, escurrido
- 500 gramos (1 lb) de pasta penne integral
- Sal y pimienta negra recién molida

1. **Pique** el perejil, la albahaca y el eneldo en un procesador de alimentos con 4 cucharadas de aceite y un poco de sal. Pique hasta obtener una mezcla tersa. Coloque sobre un platón de servicio.
2. **Coloque** las cebollitas de cambray y el pimiento en otro tazón. Rocíe el aguacate con el jugo de limón (para evitar que se oxide) y coloque en el tazón con la mezcla de pimiento.
3. **Desmorone** el atún y coloque en otro tazón.
4. **Mientras tanto,** cocine la pasta en una olla grande con agua hirviendo con sal hasta que esté al dente.
5. **Escurra** bien y añada al tazón con las hierbas condimentadas.
6. **Añada** la mezcla de pimiento y el atún. Mezcle rápidamente, rocíe con el aceite restante y sazone con sal y pimienta. Sirva de inmediato.

Si a usted le gustó esta receta, también le gustarán:

farfalle con salsa de yogurt y aguacate

142

spaghetti con yogurt y aguacate

238

pasta con salsa de atún

El atún muy fresco tiene un tono rojo profundo casi marrón, y es firme al tacto.

Rinde 6 porciones
20 minutos
70 minutos
2

- $\frac{1}{4}$ taza (60 ml) de aceite de oliva extra virgen
- 2 cebollas, picadas
- 4 dientes de ajo, ligeramente machacados pero enteros
- $\frac{2}{3}$ taza (150 ml) de vino blanco seco
- 600 gramos (1 $\frac{1}{4}$ lb) de jitomates saladet, sin piel y presionados a través de una colador de malla fina (passata)
- 500 gramos (1 lb) de atún fresco, sin piel
- 1 manojo de hojas de hinojo fresco, finamente picado y/o 1 cucharada de menta fresca, finamente picada
- Sal y pimienta recién molida
- Caldo de pescado o agua (opcional)
- 500 gramos (1 lb) de pasta rigatoni
- $\frac{1}{2}$ taza (125 g) de queso ricotta salata recién rallado

1. **Caliente** el aceite en una sartén grande sobre fuego lento y saltee las cebollas y el ajo alrededor de 10 minutos o hasta que la cebolla se haya suavizado.
2. **Vierta** el vino y agregue los jitomates, atún, hinojo y/o menta. Sazone con sal y pimienta y lleve a ebullición.
3. **Reduzca** el fuego y cocine a fuego lento, parcialmente tapado, durante por lo menos una hora, añadiendo caldo de pescado o agua caliente si la salsa comienza a pegarse a la sartén.
4. **Retire** el atún y desmorone con ayuda de un tenedor. Regrese el atún a la salsa.
5. **Cocine** la pasta en una olla grande con agua hirviendo con sal durante 3 ó 4 minutos, o hasta que esté al dente. Escurra y sirva con la salsa de atún. Espolvoree con el queso y sirva caliente.

Si a usted le gustó esta receta, también le gustarán:

ensalada de pasta con atún y aceitunas

128

spaghetti con atún y alcaparras

286

fusilli con tortitas de pescado

Si lo desea, puede agregar al final de 12 a 16 jitomates cereza partidos en mitades junto con el chile y las tortitas de pescado.

Rinde 6 porciones
20 minutos
15 minutos
2

- 1 trozo grande de pan
- 3 cucharadas de leche
- 400 gramos (14 oz) de filetes de pescado blanco (merluza, bacalao, pescadilla, cazón, pez roca, huachinango), sin espinas
- 1 huevo grande
- 3 cucharadas de queso parmesano recién rallado
- 1 cucharada de perejil fresco, finamente picado
- Sal y pimienta negra recién molida
- 3 cucharadas de harina de trigo (simple)
- ½ taza (125 ml) de aceite de oliva extra virgen
- 500 gramos (1 lb) de pasta fusilli o ruotini
- 1 chile rojo fresco, sin semillas y finamente picado
- 2 cucharadas de eneldo fresco, finamente picado

1. **Para preparar las tortitas de pescado,** coloque el pan en el tazón de un procesador de alimentos. Rocíe con la leche y mezcle durante algunos segundos.
2. **Añada** el pescado y mezcle durante algunos segundos más. Agregue el huevo, el queso parmesano y el perejil. Sazone con sal y pimienta. Revuelva hasta obtener una mezcla tersa.
3. **Amolde** la mezcla en forma de bolas pequeñas del tamaño de una canica. Espolvoree con harina una superficie de trabajo y ruede las bolas pequeñas sobre la harina sacudiendo el exceso.
4. **Caliente** ⅓ taza (90 ml) de aceite en una sartén grande sobre fuego medio. Fría las tortitas de pescado durante 4 ó 5 minutos, hasta dorar ligeramente. Escurra sobre toallas de papel.
5. **Mientras tanto,** cocine la pasta en una olla grande con agua hirviendo con sal hasta que esté al dente. Escurra y rocíe con el aceite restante.
6. **Coloque** en un tazón de servicio grande precalentado y añada las tortitas de pescado y el chile. Mezcle ligeramente. Espolvoree con el eneldo y sirva.

Si a usted le gustó esta receta, también le gustarán:

pappardelle marinara

66

penne con jitomate y camarones

186

penne con jitomate y camarones

Si cuenta con camarones crudos, retire la piel y desvénelos antes de saltearlos en un poco de aceite sobre fuego medio hasta que adquieran un tono rosado.

Rinde 6 porciones
10 minutos
10-15 minutos
1

- 500 gramos (1 lb) de pasta penne
- ⅓ taza (90 ml) de aceite de oliva extra virgen
- 4 dientes de ajo, ligeramente machacados pero enteros
- 4 cebollitas de cambray, finamente picadas
- 20 hojas de albahaca fresca
- Sal
- 500 gramos (1 lb) de camarones mixtos grandes y pequeños, sin piel y cocidos
- 4 jitomates grandes, sin piel y picados
- 500 gramos (1 lb) de jitomates cereza, partidos en mitades

1. **Cocine** la pasta en una olla grande con agua hirviendo con sal hasta que esté al dente.
2. **Mientras la pasta se está cocinando,** caliente el aceite en una sartén pequeña a fuego lento. Añada el ajo, las cebollitas de cambray y la albahaca y saltee durante 3 ó 4 minutos, hasta que el ajo se dore ligeramente.
3. **Pase** Pase la mezcla a un procesador de alimentos y procese hasta obtener una mezcle tersa. Sazone con sal.
4. **Coloque** los camarones cocidos en un tazón grande. Añada la mezcla de ajo y revuelva hasta integrar por completo.
5. **Escurra** la pasta y añada al tazón con los camarones.
6. **Integre** los jitomates picados y los jitomates cereza a la pasta y mezcle hasta integrar por completo. Sirva de inmediato.

Si a usted le gustó esta receta, también le gustarán:

penne con pez espada y salmón

188

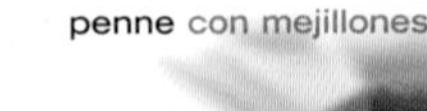

penne con mejillones

190

spaghetti con mariscos en papillote

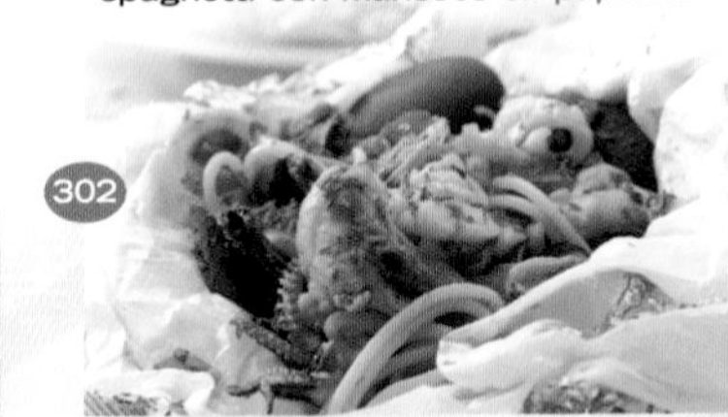

302

penne con pez espada y salmón

El pez espada y el salmón en este platillo no solamente aportan excelente sabor, sino que también son ricos en proteínas y ácidos grasos omega-3.

Rinde 6 porciones
15 minutos
35 minutos
1

- **500** gramos (1 lb) de pasta penne
- **1/4** taza (60 ml) de aceite de oliva extra virgen
- **1** diente de ajo, finamente picado
- **1** cebolla pequeña, finamente picada
- **125** gramos (4 oz) de pez espada, cortado en trozos del tamaño de un bocado
- **125** gramos (4 oz) de salmón, cortado en trozos del tamaño de un bocado
- **1/3** taza (90 ml) de vino blanco seco
- **400** gramos (14 oz) de jitomates cereza, partidos en mitades
- **2** cucharadas de perejil fresco finamente picado
- Sal

1. **Cocine** la pasta en una olla grande con agua hirviendo con sal hasta que esté al dente.
2. **Mientras** la pasta se está cocinando, caliente el aceite en una sartén grande sobre fuego medio. Agregue el ajo y la cebolla y saltee alrededor de 5 minutos, hasta que estén suaves.
3. **Añada** el pez espada y el salmón. Saltee durante 3 minutos. Agregue el vino y cocine a fuego lento hasta que evapore. Retire el pescado y reserve.
4. **Agregue** los jitomates y hierva sobre fuego medio-bajo durante 5 minutos.
5. **Regrese** el pescado a la sartén. Añada el perejil y sazone con sal.
6. **Escurra** la pasta e integre con la salsa. Mezcle ligeramente sobre fuego alto durante un minuto. Sirva caliente.

Si a usted le gustó esta receta, también le gustarán:

pappardelle marinara

66

pasta con salsa de atún

182

spaghetti con vodka y caviar

300

penne con mejillones

Cuando compre mejillones, seleccione siempre aquellos con las conchas cerradas y evite los que estén rotos. Siempre consuma los mejillones el mismo día en que los compró.

- Rinde 6 porciones
- 15 minutos
- 1 hora
- 20-30 minutos
- 2

1 kilogramo (2 lb) de mejillones frescos, en su concha
¼ taza (60 ml) de aceite de oliva extra virgen
2 dientes de ajo, finamente picados
500 gramos (1 lb) de pasta penne
10 tazas (2.5 litros) de caldo de verduras (hecho en casa o de cubos), hirviendo, + el necesario
500 gramos (1 lb) de papas, sin piel y cortadas en cubos de 1 cm (½ in)
500 gramos (1 lb) de jitomates cereza, partidos en mitades
Hojas de 1 rama de albahaca, troceadas, + las necesarias para adornar
Sal y pimienta negra recién molida

1. **Remoje** los mejillones en un tazón grande con agua fría durante una hora. Enjuague perfectamente, talle y retire los filamentos.
2. **Caliente** 2 cucharadas del aceite en una sartén grande sobre fuego medio. Añada el ajo y saltee durante 3 ó 4 minutos, hasta dorar ligeramente.
3. **Agregue** los mejillones y cocine durante 7 u 8 minutos sobre fuego medio-alto, hasta que se hayan abierto. Retire del fuego. Retire los mejillones de sus conchas y deseche los que no hayan abierto.
4. **Pase** el jugo de los mejillones a través de un trozo de muselina (manta de cielo) y reserve.
5. **Caliente** el aceite restante en una sartén grande sobre fuego medio. Añada la pasta y mezcle hasta integrar por completo. Saltee durante 2 minutos y agregue el jugo de los mejillones y el caldo.
6. **Tape** y cocine a fuego lento durante 5 minutos. Agregue las papas y cocine a fuego lento durante 5 minutos. Añada los jitomates y cocine a fuego lento de 5 a 10 minutos, hasta que la pasta esté al dente y las papas estén suaves.
7. **Escurra** perfectamente y pase a un tazón de servicio precalentado. Añada los mejillones y la albahaca y sazone con sal y pimienta. Mezcle hasta integrar por completo. Adorne con albahaca y sirva caliente.

sedani con tocino y chícharos

El sedani es una pasta corta y suave. Si lo prefiere, puede sustituirla por otras pastas como penne, fusilli o farfalle (moños). Esta receta también funciona muy bien con pasta integral.

Rinde 6 porciones
15 minutos
15 minutos
1

- **2** **cucharadas de aceite de oliva extra virgen**
- **1** **chalote, finamente picado**
- **150** **gramos (5 oz) de tocino, finamente rebanado, picado**
- **½** **taza (125 ml) de vino blanco seco**
- **1** **taza (150 g) de chícharos congelados**
- **Sal y pimienta negra recién molida**
- **500** **gramos (1 lb) de pasta sedani o penne**
- **1** **taza (125 g) de queso pecorino, rallado**
- **2** **cucharadas de cebollín fresco, cortado con tijeras**

1. Caliente el aceite en una sartén grande sobre fuego medio. Añada el chalote y saltee durante 2 ó 3 minutos, hasta que esté transparente.
2. Agregue el tocino y saltee de 2 a 4 minutos, hasta que esté dorado y crujiente.
3. Vierta el vino y añada los chícharos. Sazone con sal y pimienta. Cocine a fuego lento alrededor de 5 minutos, hasta que el vino se haya evaporado y los chícharos estén suaves.
4. Mientras tanto, cocine la pasta en una olla grande con agua hirviendo con sal hasta que esté al dente.
5. Escurra perfectamente y agregue a la sartén con el tocino y la mezcla de chícharos. Añada el queso y el cebollín y mezcle ligeramente sobre fuego lento durante 1 ó 2 minutos. Sirva caliente.

Si a usted le gustó esta receta, también le gustarán:

farfalle con chícharos y jamón

198

penne con chícharos y salchichas

204

spaghetti picante con pancetta y cebolla

278

penne con calabacitas, jamón y pistaches

Para blanquear los pistaches: retíreles la cáscara, sumérjalos en una sartén pequeña con agua hirviendo durante un minuto, escúrralos y retíreles la piel.

Rinde 6 porciones
15 minutos
20 minutos
1

- 1/4 taza (60 ml) de aceite de oliva extra virgen
- 8 cebollitas de cambray, las partes blancas y verdes rebanadas por separado
- 1/3 taza (90 ml) de vino blanco seco
- 8 calabacitas (zucchini/courgettes) pequeñas, cortadas en cubos pequeños
- Sal
- 250 gramos (8 oz) de jamón ahumado, cortado en cubos pequeños
- 2/3 taza (100 g) de pistaches blanqueados, toscamente picados
- Pimienta negra recién molida
- 500 gramos (1 lb) de pasta penne
- 3 cucharadas de mantequilla
- 1/2 taza (60 g) de queso parmesano recién rallado

1. **Caliente** el aceite en una sartén grande sobre fuego medio. Añada la parte blanca de las cebollitas de cambray y saltee alrededor de 2 minutos, hasta que comiencen a suavizarse. Agregue el vino y deje que se evapore durante 3 minutos.
2. **Añada** las calabacitas y sazone con sal. Mezcle hasta integrar por completo y saltee alrededor de 5 minutos, hasta que las calabacitas estén suaves.
3. **Agregue** el jamón, los pistaches y la mitad de la parte verde de las cebollitas de cambray. Mezcle hasta integrar por completo y saltee durante un minuto. Sazone con pimienta.
4. **Mientras tanto,** cocine la pasta en una olla grande con agua hirviendo con sal hasta que esté al dente. Escurra perfectamente y añada a la sartén con la salsa. Mezcle sobre fuego alto durante un minuto.
5. **Añada** la mantequilla y el queso parmesano y mezcle hasta integrar por completo. Espolvoree con las cebollitas de cambray restantes y sirva caliente.

Si a usted le gustó esta receta, también le gustarán:

penne con calabacitas crudas, queso pecorino y menta

134

penne con pimiento, berenjena y calabacitas

126

spaghetti con calabacitas

246

festonati con salchichas italianas y brócoli

Esta receta sustanciosa presenta un platillo rápido y sencillo que se puede servir como plato único en una comida. Puede sustituir la pasta festonati con alguna otra pasta de tamaño mediano como el conchiglie o el rigatoni.

Rinde 6 porciones

15 minutes

20 minutos

1

- 500 gramos (1 lb) de brócoli, dividido en floretes, los tallos cortados en cubos pequeños y las hojas picadas
- 3 cucharadas de aceite de oliva extra virgen
- 3 dientes de ajo, finamente picados
- 2 cucharadas de perejil fresco, finamente picado
- 500 gramos (1 lb) de salchichas de cerdo italianas, sin piel y desmoronadas
- 3 cucharadas de pasta de jitomate (concentrado)
- Sal y pimienta negra recién molida
- 500 gramos (1 lb) de pasta festonati u otra pasta de tamaño mediano
- 30 gramos (1 oz) de queso pecorino añejo o queso parmesano, en hojuelas

1. **Coloque** los floretes, tallos y hojas de brócoli en una olla grande con agua hirviendo con sal y hierva a fuego lento durante 2 ó 3 minutos. Escurra perfectamente y reserve el agua de cocción para cocinar la pasta.
2. **Caliente** el aceite en una sartén grande sobre fuego medio. Añada el ajo y el perejil y saltee durante 3 ó 4 minutos, hasta que el ajo se dore ligeramente. Agregue las salchichas y la pasta de jitomate. Cocine sobre fuego medio durante 5 minutos.
3. **Añada** el brócoli, sazone con sal y pimienta y cocine a fuego lento de 10 a 15 minutos.
4. **Mientras tanto,** cocine la pasta en el agua que utilizó para cocinar el brócoli hasta que esté al dente.
5. **Escurra perfectamente** y añada a la sartén con la salsa. Mezcle hasta integrar por completo y sirva caliente. Espolvoree cada porción con las hojuelas de queso.

Si a usted le gustó esta receta, también le gustarán:

fettuccine con albóndigas

garganelli con salsa cremosa de salchicha

spaghetti con salsa de salchicha italiana

farfalle con chícharos y jamón

Utilice una crema espesa fresca, alta en grasa, para preparar este platillo. La crema ligera es una opción más saludable pero cualquier crema con menos de 35% de grasa tiende a cortarse al cocinarse.

Rinde 6 porciones
10 minutos
15-20 minutos
1

- 1/4 taza (60 g) de mantequilla
- 1 3/4 taza (250 g) de chícharos frescos o congelados
- 250 gramos (8 oz) de jamón, finamente rebanado y cortado en cuadros pequeños
- 1/4 taza (60 ml) de crema espesa
- Sal y pimienta negra recién molida
- 500 gramos (1 lb) de pasta farfalle
- 2 cucharadas de perejil fresco, finamente picado
- 1/2 taza (60 g) de queso parmesano recién rallado

1. **Caliente** la mantequilla en una sartén grande sobre fuego medio-bajo. Añada los chícharos y el jamón y saltee de 5 a 10 minutos, hasta que los chícharos estén suaves.
2. **Integre** 2 cucharadas de la crema y cocine a fuego lento hasta que la salsa espese. Sazone con sal y pimienta.
3. **Mientras tanto,** cocine la pasta en una olla grande con agua hirviendo con sal hasta que esté al dente.
4. **Escurra perfectamente** y pase a la sartén con la salsa. Añada las 2 cucharadas restantes de la crema, el perejil y el queso parmesano. Mezcle hasta integrar por completo y sirva caliente.

Si a usted le gustó esta receta, también le gustarán:

sedani con tocino y chícharos

192

penne con chícharos y salchicha

204

maccheroni con jitomate y jamón ahumado

En Italia esta receta se prepara con speck, un tipo de jamón ahumado y curado de la región del Tirol.

Rinde 6 porciones
10 minutos
20 minutos
1

- ¼ taza (60 ml) de aceite de oliva extra virgen
- 2 chalotes, finamente picados
- 1 kilogramo (2 lb) de jitomates maduros, sin piel y picados
- 2 cucharaditas de semillas de hinojo
- 1 cucharada de albahaca troceada + la necesaria para adornar
- 1 taza (125 g) de jamón o tocino ahumado, partido en cubos
- Sal y pimienta negra recién molida
- 500 gramos (1 lb) de pasta maccheroni (codos medianos)
- 6 cucharadas de queso parmesano recién rallado

1. **Vierta** el aceite en una sartén grande sobre fuego medio. Añada los chalotes y saltee durante 3 ó 4 minutos, hasta que estén suaves.
2. **Integre** los jitomates, las semillas de hinojo y la albahaca. Cocine a fuego lento alrededor de 10 minutos, hasta que los jitomates comiencen a desbaratarse. Añada el jamón y cocine a fuego lento durante 5 minutos. Sazone con sal y pimienta.
3. **Mientras tanto,** cocine la pasta en una olla grande con agua hirviendo con sal hasta que esté al dente. Escurra y añada a la salsa.
4. **Mezcle** sobre fuego alto durante un minuto. Espolvoree con el queso parmesano y adorne con la albahaca. Sirva caliente.

Si a usted le gustó esta receta, también le gustarán:

cuadros de pasta con jitomate y pancetta

34

bucatini con salsa amatriciana

272

garganelli con salsa cremosa de salchicha

El garganelli es una pasta rizada de la región italiana de Emilia-Romagna. Tradicionalmente se sirve con salsas espesas que contienen carne tal como la de esta receta. Si lo prefiere, puede sustituirla por penne.

Rinde 6 porciones
15 minutos
15 minutos
1

- 1 cucharada de mantequilla
- 1 cebolla, finamente picada
- 500 gramos (1 lb) de salchicha de cerdo italiana, desmoronada
- $^3/_4$ taza (180 ml) de crema ligera (light)
- $^1/_4$ cucharadita de nuez moscada recién molida
- Sal y pimienta negra recién molida
- 500 gramos (1 lb) de pasta garganelli o penne
- $^1/_2$ taza (60 g) de queso parmesano recién rallado
- 1 cucharada de perejil fresco, finamente picado

1. **Caliente** la mantequilla en una sartén grande sobre fuego medio. Añada la cebolla y saltee alrededor de 5 minutos, hasta que esté suave.
2. **Añada** la salchicha y saltee sobre fuego alto alrededor de 3 minutos, hasta dorar.
3. **Vierta** la crema y cocine a fuego muy lento alrededor de 10 minutos. Sazone con nuez moscada, sal y pimienta.
4. **Mientras tanto,** cocine la pasta en una olla grande con agua hirviendo con sal hasta que esté al dente. Escurra y añada a la salsa.
5. **Espolvoree** con el queso parmesano y el perejil y mezcle ligeramente. Sirva caliente.

Si a usted le gustó esta receta, también le gustarán:

pappardelle con salchicha y champiñones

68

festonati con salchichas italianas y brócoli

196

spaghetti con salsa de salchicha italiana

308

penne con chícharos y salchichas

Utilice pasta penne acanalada para este platillo. Este estilo de pasta es perfecto para retener salsas espesas y cremosas.

Rinde 6 porciones
15 minutos
20 minutos
1

- 2 cucharadas de mantequilla
- 1 cebolla, finamente picada
- 2 cucharadas de salsa de jitomate sin sazonar, comprada en el supermercado o hecha en casa
- 500 gramos (1 lb) de salchicha italiana, desmoronada
- 5 cucharadas (75 ml) de crema ligera (light)
- 2 cucharadas de aceite de oliva extra virgen
- 1 diente de ajo, finamente picado
- 1 manojo pequeño de salvia fresca, finamente picada
- 2 tazas (300 g) de chícharos congelados
- Una pizca de azúcar
- 1 taza (250 ml) de agua caliente + la necesaria
- Sal y pimienta negra recién molida
- 2 cucharadas de perejil fresco, finamente picado
- 500 gramos (1 lb) de pasta penne
- ½ taza (60 g) de queso parmesano recién rallado

1. **Caliente** la mantequilla en una sartén mediana sobre fuego medio. Añada la cebolla y saltee durante 4 ó 5 minutos, hasta que esté suave.
2. **Integre** la salsa de jitomate y la salchicha. Integre la crema y cocine a fuego lento durante 15 minutos.
3. **Caliente** el aceite en una sartén mediana sobre fuego lento, añada el ajo y la salvia y saltee alrededor de 3 minutos o hasta que el ajo se dore ligeramente.
4. **Integre** los chícharos, el azúcar y el agua. Cocine a fuego lento alrededor de 10 minutos o hasta que los chícharos estén suaves. Sazone con sal y pimienta y añada el perejil.
5. **Mientras tanto,** cocine la pasta en una olla grande con agua hirviendo con sal hasta que esté al dente. Escurra la pasta e integre con la salsa junto con la crema y la mezcla de las salchichas. Mezcle hasta integrar por completo. Espolvoree con el queso parmesano y sirva caliente.

Si a usted le gustó esta receta, también le gustarán:

wpenne integral con atún, aguacate y hierbas frescas

180

farfalle con chícharos y jamón

198

garganelli con salsa cremosa de salchicha

202

sedani con albóndigas

Este platillo de albóndigas con prosciutto (jamón de Parma), carne molida, ajo y perejil es sustancioso y perfecto para los días fríos del invierno.

Rinde 6 porciones

45 minutos

30 minutos

2

- 1/3 taza (90 ml) de leche
- 2 rebanadas gruesas de pan del día anterior, sin orillas y desmoronado
- 500 gramos (1 lb) de carne de res molida
- 125 gramos (4 oz) de prosciutto (jamón de Parma)
- Un manojo pequeño de perejil fresco
- 1 diente de ajo
- 1 yema de huevo grande
- Ralladura fina de 1 limón amarillo
- Una pizca de nuez moscada
- Sal y pimienta negra recién molida
- 1/2 taza (75 g) de harina simple + la necesaria para espolvorear
- 5 cucharadas de aceite de oliva extra virgen
- 1 cebolla pequeña, finamente picada
- 1 kilogramo (2 lb) de jitomates, sin piel y picados
- 1 cucharadita de orégano seco
- 500 gramos (1 lb) de pasta sedani
- 1/2 taza (60 g) de queso parmesano recién rallado

1. **Vierta** la leche en un tazón pequeño y agregue el pan.
2. **Coloque** la carne, prosciutto, perejil y ajo en un procesador de alimentos y pique hasta obtener una mezcla tersa. Pase a un tazón y añada el pan bien exprimido, la yema, la ralladura de limón amarillo y la nuez moscada. Sazone con sal y pimienta y mezcle hasta integrar por completo.
3. **Espolvoree** una superficie de trabajo con harina. Separe trozos de la mezcla y forme bolas del tamaño de una canica y ruede sobre la harina. Reserve.
4. **Caliente** el aceite en una sartén grande y saltee la cebolla durante 3 ó 4 minutos, hasta que esté translucida. Agregue los jitomates y el orégano; cocine a fuego medio de 10 a 15 minutos. Sazone con sal y pimienta.
5. **Cocine** las albóndigas en una sartén mediana con agua hirviendo a fuego lento durante 3 minutos. Retire con ayuda de una cuchara ranurada y escurra sobre una toalla de cocina limpia.
6. **Cocine** la pasta en una olla grande con agua hirviendo con sal hasta que esté al dente.
7. **Escurra** y pase a la sartén con la salsa de jitomate. Agregue las albóndigas y mezcle ligeramente sobre fuego medio durante 1 ó 2 minutos. Espolvoree con el queso parmesano y sirva caliente.

penne en salsa con carne

Si tiene tiempo, cocine esta salsa a fuego lento durante 2 ó 3 horas. Añada más caldo a medida que se vaya consumiendo el líquido. Entre más cocine la salsa, ésta tendrá un mejor sabor.

Rinde 6 porciones
15 minutos
1 hora 30 minutos
1

SALSA DE CARNE

- 2 cucharadas de mantequilla
- 1 zanahoria, finamente picada
- 2 tallos de apio, finamente picados
- 1 cebolla mediana, finamente picada
- 500 gramos (1 lb) de carne de cerdo molida
- 150 gramos (5 oz) de carne de res molida
- 1 taza (120 g) de jamón, partido en cubos
- $\frac{2}{3}$ taza (150 ml) de vino blanco seco
- 6 jitomates grandes, sin piel y toscamente picados
- Sal y pimienta negra recién molida
- $\frac{1}{4}$ cucharadita de nuez moscada recién molida
- $\frac{3}{4}$ taza (180 ml) de caldo de res (hecho en casa o comprado)
- 500 gramos (1 lb) de pasta penne
- $\frac{1}{2}$ taza (60 g) de queso parmesano recién rallado

1. **Para preparar la salsa de carne,** caliente la mantequilla en una sartén grande sobre fuego medio. Agregue la zanahoria, apio y cebolla y saltee durante 5 minutos, hasta que estén suaves.
2. **Añada** la carne de cerdo y la de res y saltee de 5 a 7 minutos, hasta que estén doradas. Agregue el jamón y cocine durante un minuto. Aumente el fuego, vierta el vino y permita que se evapore alrededor de 5 minutos.
3. **Integre** los jitomates. Sazone con sal, pimienta y nuez moscada. Tape la olla parcialmente y cocine a fuego lento por lo menos durante una hora. Agregue el caldo gradualmente mientras cocina para mantener la salsa hidratada.
4. **Cocine** la pasta en una olla grande con agua hirviendo con sal hasta que esté al dente. Escurra perfectamente e integre con la salsa. Espolvoree con el queso parmesano y mezcle hasta integrar por completo. Sirva caliente.

Si a usted le gustó esta receta, también le gustarán:

fettuccine estilo romano

76

pappardelle con salsa y carne

78

lasagna con albóndigas

108

penne con pimiento al horno

La pasta penne es la más común entre las pastas cortas. Existen dos tipos: acanalada y lisa. La pasta acanalada es mejor que la lisa para retener salsas espesas.

Rinde 6 porciones

35 minutos

45 minutos

2

- **750 gramos (1 ½ lb) de pimientos (capsicums) rojos y amarillos, partidos a la mitad y sin semillas**
- **500 gramos (1 lb) de pasta penne**
- **¼ taza (60 ml) de aceite de oliva extra virgen**
- **2 dientes de ajo, ligeramente machacados pero enteros**
- **¼ taza (50 g) de alcaparras en sal, enjuagadas**
- **½ taza (50 g) de aceitunas negras, sin hueso y toscamente picadas**
- **2 cucharadas de perejil fresco, finamente picado**
- **2 cucharadas de migas finas de pan seco**
- **Sal y pimienta negra recién molida**
- **1 cucharada de orégano fresco, finamente picado**
- **1 ¼ taza (150 g) de queso parmesano recién rallado**

1. **Ase** los pimientos sobre fuego alto, volteando frecuentemente, hasta que la piel se queme. Envuelva en una bolsa de papel durante 10 minutos. Saque de la bolsa y retire la piel. Limpie cuidadosamente con toallas de papel y corte en tiras delgadas.
2. **Cocine** la pasta en una olla grande con agua hirviendo con sal hasta que esté un poco menos que al dente.
3. **Mientras tanto,** caliente el aceite en una sartén grande sobre fuego medio y saltee un diente de ajo durante 2 ó 3 minutos o hasta dorar ligeramente. Retire del fuego.
4. **Pique** finamente el ajo restante y añada a la sartén junto con las alcaparras, aceitunas, pimientos, perejil y migas de pan. Sazone con sal y pimienta.
5. **Cocine** sobre fuego lento durante 10 minutos mezclando ocasionalmente. Añada el orégano y retire del fuego.
6. **Precaliente** el horno a 220°C (425°F/gas 7). Engrase un refractario con mantequilla.
7. **Escurra** la pasta y añada la mitad de la mezcla de pimiento. Usando una cuchara, pase la mezcla al refractario preparado, cubra con la mezcla de pimiento restante y espolvoree con el queso parmesano.
8. **Hornee** alrededor de 15 minutos o hasta que la capa superior esté ligeramente dorada y crujiente. Sirva caliente.

conchiglioni rellenas de espinaca con salsa de jitomate

Las conchiglioni o conchas de pasta van rellenas con cebolla, queso, albahaca y ajo y se colocan sobre una salsa ligera de jitomate. Éste es un platillo impresionante para una ocasión especial.

Rinde 6 porciones

40 minutos

70 minutos

3

- 30 conchiglioni o conchas de pasta
- 400 gramos (14 oz) de espinaca congelada, descongelada y picada
- 1 manojo grande de hojas de espinaca miniatura fresca
- 1 cebolla amarilla española pequeña, finamente picada
- 1¾ taza (400 g) de queso ricotta
- 1 taza (125 g) de queso parmesano fresco recién rallado + el necesario para servir
- 2 cucharadas de semillas de hinojo
- 20 hojas de albahaca fresca, picadas
- 3 dientes de ajo, finamente picados
- Sal y pimienta fresca recién molida
- 1 cucharada de aceite de oliva extra virgen
- 6 cebollitas de cambray, picadas
- 1.5 kilogramos (3 lb) de jitomates, toscamente picados
- 1 cucharada de azúcar
- 2 cucharadas de eneldo fresco, finamente picado

1. **Precaliente** el horno a 180°C (350°F/gas 4).
2. **Cocine** las conchas de pasta en una olla grande con agua hirviendo con sal hasta que estén al dente. Escurra y deje enfriar.
3. **Exprima** la espinaca descongelada para retirar todo el líquido y pase a un tazón grande. Blanquee rápidamente las hojas de espinaca en agua caliente, escurra y junte con la espinaca descongelada.
4. **Añada** la cebolla, queso ricotta, queso parmesano rallado, semillas de hinojo, albahaca y ajo y mezcle hasta integrar por completo. Añada sal y pimienta.
5. **Caliente** el aceite en una sartén profunda y añada las cebollitas de cambray picadas. Saltee durante 2 minutos, añada los jitomates picados, el azúcar, sal y pimienta y cocine a fuego lento durante 30 minutos.
6. **Añada** el eneldo, mezcle hasta integrar por completo y rectifique la sazón con sal y pimienta si fuera necesario. Reserve.
7. **Usando una cuchara** coloque la mezcla de espinaca en las conchas de pasta. Reserve.
8. **Divida** la salsa de jitomate entre seis refractarios individuales y coloque las conchas de pasta rellenas sobre la salsa en cada plato.
9. **Espolvoree** con queso parmesano, cubra los platos con papel aluminio y hornee durante 20 minutos. Retire el papel aluminio y hornee durante 5 minutos más o hasta que se doren.

cannelloni rellenos de espinaca y ricotta con salsa de jitomate

Este platillo de cannelloni horneado es sustancioso y se puede servir como plato único para una comida.

Rinde 4 porciones

20 minutos

40 minutos

- 1 kilogramo (2 lb) de hojas de espinaca fresca, sin tallos
- $1\frac{1}{2}$ taza (375 g) de queso ricotta, escurrido
- 2 cucharaditas de nuez moscada recién rallada
- 12 tubos de cannelloni secos
- 3 tazas (750 g) de jitomates saladet sin piel, presionados a través de un colador de malla fina (passata)

 1

1. **Precaliente** el horno a 180°C (350°F/gas 4).
2. **Cocine** la espinaca en una sartén grande con agua hirviendo durante 1 minutos. Escurra por completo.
3. **Pique** la espinaca en trozos grandes y coloque en un tazón grande. Agregue el queso ricotta y la nuez moscada y mezcle hasta integrar por completo.
4. **Utilice** una manga pastelera con punta mediana para rellenar los tubos de cannelloni con la mezcla de espinaca y ricotta.
5. **Acomode** los cannelloni rellenos en un plato para hornear poco profundo y báñelos con el jitomate.
6. **Hornee,** destapado, alrededor de 40 minutos o hasta que la pasta esté al dente. Sirva caliente.

Si a usted le gustó esta receta, también le gustarán:

conchiglioni rellenas de espinaca con salsa de jitomate

202

pasta con verduras al horno

216

pasta con verduras al horno

Este sustancioso platillo vegetariano proviene del sur de Italia, donde la pasta y las verduras al horno son un platillo muy frecuente. Si utiliza jitomates frescos, asegúrese de que estén maduros y jugosos.

Rinde 6 porciones

10 minutos

1 hora

2

- ½ taza (125 ml) de aceite de oliva extra virgen
- 1.5 kilogramos (3 lb) de jitomates maduros y jugosos o 4 tazas (400 g) de jitomates italianos de lata en su jugo
- Un manojo de hojas de albahaca fresca
- 500 gramos (1 lb) de pasta penne pequeña
- 500 g (1 lb) de papas, sin piel y cortadas en rebanadas de 5 mm (¼ in)
- 2½ tazas (250 g) de aceitunas negras, sin hueso y rebanadas
- 1 cebolla grande, rebanada
- 1 cucharada de orégano fresco, finamente picado
- Sal y pimienta negra recién molida
- 1 taza (120 g) de queso pecorino recién rallado
- ½ taza (60 g) de pan molido fino
- 4 cucharadas de piñones

1. **Precaliente** el horno a 180°C (350°F/gas 4).
2. **Engrase** un refractario profundo con 2 cucharadas de aceite.
3. **Distribuya** una capa de jitomates y albahaca, seguida por una capa de pasta, papas, aceitunas, cebolla y orégano. Repita la operación, sazonando cada capa con un poco de sal y pimienta hasta que termine de utilizar todos ingredientes.
4. **Mezcle** el queso, el pan molido y los piñones en un tazón pequeño y espolvoree sobre la superficie. Rocíe con el aceite restante.
5. **Cubra** el refractario y hornee durante una hora o hasta que la pasta y las papas estén suaves. Sirva caliente.

Si a usted le gustó esta receta, también le gustarán:

conchiglioni rellenas de espinaca con salsa de jitomate

212

cannelloni rellenos de espinaca y ricotta con salsa de jitomate

214

rigatoni con jamón y champiñones al horno

Si quiere preparar una versión diferente de esta receta, puede omitir la salsa bechamel y colocar la pasta precocida junto con los champiñones y el jamón en un refractario. Añada 1 taza (200 g) de queso ricotta y 1 taza (250 g) de crema batida y hornee durante 20 minutos a la misma temperatura que indica la receta.

Rinde 6 porciones

25 minutos

45 minutos

2

SALSA BECHAMEL

- 3 cucharadas de mantequilla
- 3 cucharadas de harina de trigo (simple)
- 2 tazas (500 ml) de leche semidescremada
- 1/3 taza (40 g) de queso parmesano recién rallado

PARA HORNEAR

- 3 cucharadas de mantequilla
- 150 gramos (5 oz) de champiñones blancos, finamente rebanados
- 3/4 taza (90 g) de jamón, partido en cubos
- 500 gramos (1 lb) de pasta rigatoni
- 150 gramos (5 oz) de prosciutto, cortado en tiras delgadas
- 1/2 taza (60 ml) de queso parmesano recién rallado

1. **Precaliente** el horno a 200°C (400°F/gas 6). Engrase con mantequilla un refractario grande.
2. **Para preparar la salsa bechamel,** derrita la mantequilla en una olla mediana sobre fuego lento. Integre la harina, batiendo. Agregue gradualmente la leche, mezclando constantemente. Hierva a fuego lento hasta que espese. Integre el queso parmesano y reserve.
3. **Para hornear,** derrita 2 cucharadas de mantequilla en una sartén sobre fuego medio. Añada los champiñones y saltee alrededor de 5 minutos, hasta dorar ligeramente.
4. **Añada** el jamón y saltee alrededor de 5 minutos, hasta que esté crujiente.
5. **Mientras tanto,** cocine la pasta en una olla grande con agua hirviendo con sal de 8 a 10 minutos, hasta que esté al dente. Escurra y coloque la mitad en un refractario. Cubra con la mitad de los champiñones y la mitad del prosciutto.
6. **Cubra** con la mitad de la salsa bechamel. Extienda una segunda capa de pasta, champiñones, jamón y salsa bechamel.
7. **Espolvoree** con el queso parmesano y agregue trozos de la mantequilla restante. Hornee de 10 a 15 minutos, hasta que la superficie se dore. Sirva caliente.

Si a usted le gustó esta receta, también le gustarán:

pappardelle con salchichas y champiñones

68

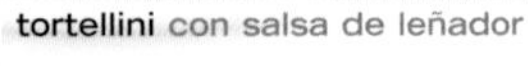

tortellini con salsa de leñador

98

fusilli con jitomate y queso al horno

220

fusilli con jitomate y queso al horno

El fusilli es la pasta perfecta para acompañar salsas espesas o platillos horneados como el de esta receta. Se recomienda acompañar con un buen vino italiano.

Rinde 6 porciones
30 minutos
15 minutos
45 minutos
2

- $\frac{1}{3}$ taza (90 ml) de aceite de oliva extra virgen
- $\frac{1}{2}$ cebolla morada, finamente rebanada
- 1 diente de ajo, ligeramente machacado pero entero
- 125 gramos (4 oz) de prosciutto, finamente picado
- Hojas de 1 manojo de perejil fresco, finamente picado
- Hojas de 1 manojo de albahaca fresca, finamente picada
- 6 jitomates grandes, sin piel y picados
- Sal y pimienta negra recién molida
- 500 gramos (1 lb) de fusilli o ruotini
- Salsa de carne (vea página 208)
- $\frac{1}{2}$ taza (60 g) de queso pecorino recién rallado

1. **Caliente** 3 cucharadas de aceite en una olla mediana sobre fuego lento. Añada la cebolla y el ajo y saltee alrededor de 5 minutos, hasta que estén suaves.
2. **Agregue** el prosciutto, perejil, albahaca y los jitomates y sazone con sal y pimienta. Cocine a fuego lento de 15 a 20 minutos, hasta que los jitomates se hayan desbaratado. Haga puré en un procesador de alimentos. Reserve.
4. **Cocine** la pasta en una olla grande con agua hirviendo con sal hasta que esté al dente. Escurra perfectamente.
5. **Rocíe** la pasta con el aceite restante. Sazone con pimienta.
6. **Precaliente** el horno a 200°C (400°F/gas 6).
7. **Pase** la mitad de la pasta a un refractario previamente engrasado con aceite, cubra con la mitad de la salsa de carne, salsa de jitomate y espolvoree con la mitad del queso pecorino. Cubra con la pasta, la salsa de carne, salsa de jitomate y el queso pecorino restantes.
8. **Hornee** de 10 a 15 minutos, hasta que se dore. Deje reposar durante 15 minutos antes de servir.

Si a usted le gustó esta receta, también le gustarán:

rigatoni con jamón y champiñones al horno

218

spaghetti con pollo y espinaca al horno

314

Pasta Larga

spaghetti con ajo, chile y aceite

Ésta es una preparación clásica de pasta. Puede variar la cantidad de aceite, ajo y chile al gusto.

- Rinde 6 porciones
- 5 minutos
- 10-12 minutos

500 gramos (1 lb) de spaghetti
½ taza (125 ml) de aceite de oliva extra virgen
6 dientes de ajo, finamente picados
2 chiles secos, desmoronados
6 cucharadas de perejil fresco, finamente picado

1

1. **Cocine** el spaghetti en una olla grande con agua hirviendo con sal hasta que esté al dente.
2. **Mientras la pasta se está cocinando,** caliente el aceite en una sartén grande sobre fuego medio. Saltee el chile y el ajo alrededor de 3 minutos, hasta que el ajo se dore ligeramente.
3. **Escurra** la pasta y añada a la sartén. Espolvoree con el perejil y revuelva sobre fuego medio alrededor de 2 minutos.
Sirva caliente.

Si a usted le gustó esta receta, también le gustarán:

spaghetti hecho en casa con ajo y aceite

spaghetti hecho en casa con salsa de jitomate y ajo

spaghetti con quesos ricotta y pecorino

El queso ricotta salata se elabora agregando sal al queso ricotta fresco y dejándolo añejar durante algunos meses. Es ideal para rallar y espolvorear sobre las pastas.

Rinde 6 porciones
10 minutos
10-12 minutos
1

- 1 taza (250 g) de queso ricotta fresco, escurrido
- 1/3 taza (90 g) de mantequilla, partida en cubos
- 1/2 taza (60 g) de queso ricotta salata recién rallado (o algún otro queso añejo para rallar)
- 1 chile seco, desmoronado
- Sal
- 500 gramos (1 lb) de spaghetti
- 1/2 taza (60 g) de queso pecorino recién rallado

1. **Cocine** la pasta en una olla grande con agua hirviendo con sal hasta que esté al dente.
2. **Mientras la pasta se está cocinando,** mezcle el queso ricotta con la mantequilla, el queso ricotta salata, el chile y la sal en un tazón grande.
3. **Escurra** la pasta y reserve 2 cucharadas del agua de cocción. Pase al tazón con la mezcla de queso ricotta junto con el agua reservada. Mezcle hasta integrar por completo, espolvoree con el queso pecorino y sirva caliente.

Si a usted le gustó esta receta, también le gustarán:

penne a los tres quesos

spaghetti con calabacitas

spaghetti con pesto de nuez

Este pesto de nuez también es muy bueno para acompañar gnocchi de papa, cubrir crostini o rellenar panini, o para mezclar con un risotto vegetariano justo antes de servir.

Rinde 6 porciones

10 minutos

10-12 minutos

1

500 gramos (1 lb) de spaghetti

PESTO

1 manojo grande de hojas de albahaca fresca + las necesarias para adornar

2 dientes de ajo

15 nueces, sin cáscara

3 cucharadas de piñones

½ taza (125 ml) de aceite de oliva extra virgen

½ taza (60 g) de queso pecorino recién rallado

Sal y pimienta negra recién molida

1. **Cocine** el spaghetti en una olla grande con agua hirviendo con sal hasta que esté al dente.
2. **Para preparar el pesto** pique la albahaca, el ajo, las nueces y los piñones en un procesador de alimentos. Añada gradualmente el aceite y procese hasta obtener una mezcla tersa.
3. **Integre** el queso y sazone con sal y pimienta.
4. **Escurra** la pasta y pase a un tazón precalentado. Agregue el pesto y mezcle ligeramente. Sirva caliente adornando con las hojas de albahaca fresca.

Si a usted le gustó esta receta, también le gustarán:

tagliolini con pesto de almendras y albahaca

32

fettuccine con pesto de piñones y nuez de castilla

38

ruote con pesto y jitomates cereza

152

spaghetti con pesto mediterráneo

La salsa de esta receta es de tradición siciliana. Puede encontrar alcaparrones en las tiendas especializadas en alimentos gourmet.

Rinde 6 porciones
15 minutos
10-12 minutos
1

- 4 jitomates maduros grandes, sin piel y picados
- 2 cucharadas de alcaparras en sal, enjuagadas
- $\frac{2}{3}$ taza (60 g) de almendras blanqueadas
- 1 cucharada de menta fresca, finamente picada
- 3 cucharadas de perejil fresco, finamente picado
- 1 cucharada de albahaca fresca, finamente picada
- 2 dientes de ajo, sin piel
- $\frac{1}{2}$ chile rojo fresco, sin semillas y finamente picado
- $\frac{1}{3}$ taza (90 ml) de aceite de oliva extra virgen
- Sal
- 500 gramos (1 lb) de jitomates cereza, partido en mitades
- 500 gramos (1 lb) de spaghetti
- Alcaparrones, para adornar

1. **Pique** los jitomates grandes, las alcaparras, almendras, menta, perejil, albahaca, un diente de ajo y el chile con la mitad del aceite en un procesador de alimentos, hasta obtener una mezcla tersa. Sazone con sal.
2. **Rebane** el ajo restante. Caliente el aceite restante en una sartén grande sobre fuego medio y saltee el diente de ajo restante y los jitomates cereza alrededor de 5 minutos, hasta que los jitomates estén suaves.
3. **Cocine** la pasta en una olla grande con agua hirviendo con sal hasta que esté al dente. Escurra la pasta y añada los jitomates cereza. Añada el pesto y mezcle hasta integrar por completo. Adorne con los alcaparrones y sirva caliente.

Si a usted le gustó esta receta, también le gustarán:

fettuccine con salsa de jitomate asado

40

penne con jitomates y queso de cabra

156

fusilli con queso ricotta y jitomates deshidratados

164

spaghetti con limón amarillo y aceitunas

Este platillo es el máximo ejemplar de la cocina italiana sencilla, pero debe ser preparado con los mejores y más frescos ingredientes. Para esta salsa sencilla pero elegante es necesario utilizar aceite de oliva extra virgen prensado en frío de la más alta calidad. También queda muy bien si lo prepara con spaghetti integral.

Rinde 6 porciones

10 minutos

10-12 minutos

1

- ½ taza (125 ml) de aceite de oliva extra virgen
- Ralladura de 2 limones amarillos, cortada en juliana
- Jugo de 2 limones amarillos recién exprimidos
- 1½ taza (150 g) de aceitunas negras, sin hueso y toscamente picadas
- 2 dientes de ajo, finamente picados
- 16 hojas de albahaca, despedazadas
- Sal y pimienta negra recién molida
- 500 gramos (1 lb) de spaghetti

1 **Bata** el aceite, la ralladura y el jugo de limón, las aceitunas negras, el ajo y la albahaca en un tazón. Sazone con sal y pimienta.

2. **Cocine** la pasta en una olla con agua hirviendo con sal hasta que esté al dente. Escurra por completo y añada al tazón con la salsa. Mezcle hasta integrar por completo y sirva caliente.

Si a usted le gustó esta receta, también le gustarán:

ravioli con pesto de aceitunas

ensalada de farfalle con jitomates cereza y aceitunas

spaghetti integral con salsa picante

spaghetti con kiwi

El kiwi es un alimento muy nutritivo. Contiene el doble de vitamina C que la naranja y es rico en potasio y luteína (un nutriente que beneficia la salud de los ojos).

Rinde 4 porciones
15 minutos
15 minutos

- 500 gramos (1 lb) de spaghetti
- 6 kiwis
- 1 taza (250 g) de yogurt simple
- 2 dientes de ajo, finamente picados
- 1 cucharada de ralladura fina de limón amarillo
- Sal y pimienta negra recién molida

1. **Cocine** la pasta en una olla grande con agua hirviendo con sal hasta que esté al dente.
2. **Mientras** la pasta se está cociendo, retire la piel de los kiwis y pique tres de ellos en trozos grandes. Machaque los kiwis restantes con ayuda de un tenedor.
3. **Caliente** el yogurt en una sartén pequeña sobre fuego lento. Añada el ajo, el kiwi picado y la ralladura de limón amarillo. Sazone con sal y pimienta.
4. **Cocine** sobre fuego medio durante 2 ó 3 minutos, mezclando constantemente. Retire del fuego y añada los kiwis machacados.
5. **Escurra** la pasta e integre con la salsa. Sirva de inmediato.

Si a usted le gustó esta receta, también le gustarán:

ensalada de pasta con toronja

118

penne con mariscos y naranja

176

spaghetti integral con queso gorgonzola

Antes de añejarse, el queso gorgonzola es dulce y suave. A medida que envejece, se vuelve más firme y quebradizo y adquiere un sabor más intenso. Utilice cualquiera de los dos tipos de queso en este platillo, dependiendo de su gusto.

Rinde 6 porciones

10 minutos

15 minutos

1

500 gramos (1 lb) de spaghetti integral
¼ taza (60 g) de mantequilla
250 gramos (8 oz) de queso gorgonzola, cortado en cubos pequeños
⅓ taza (90 ml) de leche
Sal
1 pera grande madura, sin piel, descorazonada y cortada en cubos pequeños

1. **Cocine** la pasta en una olla grande con agua hirviendo con sal hasta que esté al dente.
2. **Mientras la pasta se está cocinando,** derrita la mantequilla en una olla mediana sobre fuego lento. Añada el queso gorgonzola y la leche. Sazone con sal.
3. **Mezcle** con ayuda de una cuchara de madera hasta que el queso se haya derretido. Añada la pera y mezcle hasta integrar por completo.
4. **Escurra** la pasta y pase a un tazón de servicio precalentado. Añada la salsa y mezcle hasta integrar por completo. Sirva caliente.

Si a usted le gustó esta receta, también le gustarán:

penne con queso gorgonzola 166

penne a los tres quesos 170

spaghetti con yogurt y aguacate

El aguacate es un alimento rico en grasas monoinsaturadas, las cuales son excelentes para la salud del corazón. Contiene más proteína, vitaminas B, E y K que cualquier otra fruta. El aguacate puede ayudar a reducir el colesterol y a disminuir los síntomas de la artritis.

Rinde 6 porciones
30 minutos
15 minutos
1

500 gramos (1 lb) de spaghetti
$^{1}/_{4}$ taza (60 ml) de aceite de oliva extra virgen
2 dientes de ajo, finamente picados
1 cebolla grande, picada
1 cucharada de vino blanco seco
1 aguacate maduro, sin piel ni hueso y picado en cubos
Jugo recién exprimido de 1 limón amarillo
1 taza (250 ml) de yogurt simple
Sal y pimienta negra recién molida
1 chile rojo fresco, sin semillas
1 corazón de apio, finamente rebanado
1$^{1}/_{2}$ cucharada de alcaparras en sal, enjuagadas
1 cucharada de perejil fresco, finamente picado

1. **Cocine** la pasta en una olla grande con agua hirviendo con sal hasta que esté al dente.
2. **Mientras la pasta se está cocinando,** caliente 2 cucharadas de aceite en una sartén mediana. Añada el ajo y la cebolla y saltee de 3 a 5 minutos, hasta que se doren ligeramente. Agregue el vino y cocine a fuego lento hasta que evapore.
3. **Rocíe** el aguacate con el jugo de limón para evitar que se oxide.
4. **Bata** el yogurt junto con el aceite restante en un tazón grande. Sazone con sal y pimienta. Añada el chile, el apio, las alcaparras y el perejil.
5. **Escurra** la pasta y mezcle con la salsa de yogurt. Añada la mezcla de cebolla y el aguacate, mezcle nuevamente y sirva caliente.

Si a usted le gustó esta receta, también le gustarán:

penne integral con atún, aguacate y hierbas frescas
180

farfalle con salsa de yogurt y aguacate
142

linguine con pesto, papas y ejotes

Si las papas son muy pequeñas, puede hervirlas enteras. No retire la piel de las papas; solamente tállelas brevemente para retirar la tierra que tengan. También puede utilizar papas cambray rojas para agregar color.

Rinde 6 porciones
15 minutos
15 minutos

400 gramos (14 oz) de ejotes, picados
500 gramos (1 lb) de linguine
8 papas cambray, cortadas en cubos de 1 cm ($\frac{1}{2}$ in)
Pesto (vea la página 150)
Pimienta negra recién molida
$\frac{1}{4}$ taza (30 g) de queso parmesano rallado
Ramas de albahaca, para adornar

2

1. **Cocine** los ejotes en una olla grande con agua hirviendo con sal de 4 a 6 minutos, hasta que estén suaves. Escurra perfectamente.
2. **Cocine** el linguine en una olla con agua hirviendo con sal durante 5 minutos. Añada las papas y cocine otros 5 ó 7 minutos, hasta que la pasta esté al dente y las papas estén suaves.
3. **Escurra perfectamente,** reservando 3 cucharadas del agua de cocción y pase a un tazón de servicio grande junto con los ejotes.
4. **Agregue** al pesto el agua reservada. Usando una cuchara, coloque sobre la pasta y mezcle hasta integrar por completo. Sazone con pimienta. Espolvoree con el queso parmesano, adorne con las ramas de albahaca y sirva caliente.

Si a usted le gustó esta receta, también le gustarán:

pasta con jitomate, queso ricotta y pesto

144

fusilli con frijoles y pesto

150

spaghetti con pesto de nuez

228

spaghetti con flor de calabaza

A veces no es fácil encontrar las delicadas flores de calabaza pero puede buscarlas en su mercado local. O, si lo desea, si tiene espacio en su jardín, puede plantar calabacitas y cosechar sus propias flores y verduras.

Rinde 6 porciones

30 minutos

30 minutos

1

- 20 flores de calabaza
- 1 cebolla morada
- 1 manojo pequeño de perejil fresco
- $^{1}/_{4}$ taza (60 ml) de aceite de oliva extra virgen
- Sal y pimienta fresca recién molida
- 1 pizca de hilos de azafrán remojados en 1 cucharada de agua tibia
- $^{3}/_{4}$ taza (180 ml) de caldo de res
- 500 gramos (1 lb) de spaghetti
- 1 yema de huevo grande
- $^{1}/_{2}$ taza (60 g) de queso pecorino recién rallado

1. **Pique** finamente 16 flores de calabaza junto con la cebolla y el perejil.
2. **Caliente** el aceite en una sartén sobre fuego medio. Añada la mezcla de flores de calabaza y saltee durante 2 ó 3 minutos.
3. **Sazone** con sal y pimienta y añada la mezcla de azafrán. Cocine a fuego lento de 15 a 20 minutos, mezclando constantemente y agregando caldo si la mezcla se vuelve demasiado espesa.
4. **Mientras tanto,** cocine la pasta en una olla con agua hirviendo con sal hasta que esté al dente. Escurra y pase a la sartén junto con la salsa.
5. **Integre** la yema de huevo con 2 cucharadas de caldo. Revuelva sobre fuego lento y mezcle constantemente, hasta que la mezcla de huevo esté cuajada y cocida.
6. **Espolvoree** con el queso pecorino. Pique las flores de calabaza restantes y espolvoree sobre la superficie. Sirva caliente.

Si a usted le gustó esta receta, también le gustarán:

pasta con huevo al horno

102

penne con calabacitas crudas, queso pecorino y menta

134

spaghetti integral con cebolla, calabacitas y albahaca

268

spaghetti con pesto de chícharos

En esta receta se necesitan chícharos frescos. Prepárela al comienzo del verano cuando los chícharos aparecen en los mercados.

Rinde 6 porciones
20 minutos
20 minutos
1

- 250 gramos (8 oz) de chícharos frescos desvainados (aproximadamente 1 kg/2 lb en sus vainas)
- 3 dientes de ajo, finamente picados
- 2 cucharadas de piñones, tostados
- ½ taza (60 g) de queso parmesano, toscamente picado+ el necesario, recién rallado, para acompañar
- 2 ramas de menta fresca
- ⅓ taza (90 ml) de aceite de oliva extra virgen
- Sal y pimienta negra recién molida
- 500 gramos (1 lb) de spaghetti

1. **Cocine** los chícharos en agua hirviendo con sal durante 2 ó 3 minutos, hasta que empiecen a suavizarse. Escurra perfectamente.
2. **Coloque** los chícharos junto con el ajo, los piñones, el queso parmesano, la menta y el aceite en un procesador de alimentos. Sazone con sal y pimienta y procese brevemente hasta que los ingredientes estén picados toscamente.
3. **Mientras tanto,** cocine el spaghetti en una olla grande con agua hirviendo con sal hasta que esté al dente. Escurra perfectamente y reserve un poco del agua de cocción.
4. **Pase** el spaghetti a un platón grande de servicio y añada el pesto junto con el agua de cocción necesaria para humedecer la salsa. Sirva caliente acompañando con queso parmesano.

Si a usted le gustó esta receta, también le gustarán:

tortellini con habas verdes

100

penne con calabacitas crudas, queso pecorino y menta

134

spaghetti con calabacitas

Elija calabacitas pequeñas con la piel lustrosa que no estén golpeadas y que estén firmes al tacto. Evite escoger calabacitas demasiado húmedas o suaves.

Rinde 6 porciones
10 minutos
20 minutos
1

- 2 tazas (500 ml) de aceite de oliva, para freír
- 4 calabacitas (zucchini/courguettes) medianas, finamente rebanadas a lo largo
- Sal
- 500 gramos (1 lb) de spaghetti
- 50 gramos ($^{1}/_{3}$ taza) de queso pecorino recién rallado
- Hojas de albahaca fresca, para adornar
- Aceite de oliva extra virgen, para rociar

1. **Caliente** el aceite en una sartén grande para fritura profunda, hasta que esté muy caliente. Fría las calabacitas en tandas de 3 a 4 minutos por cada tanda, hasta que se doren. Escurra sobre toallas de papel. Sazone con sal y cubra con un plato para mantenerlas calientes.

2. **Mientras tanto,** cocine la pasta en una olla grande con agua hirviendo con sal hasta que esté al dente. Escurra y espolvoree con el queso pecorino. Cubra con las calabacitas fritas y la albahaca; rocíe con aceite.

Si a usted le gustó esta receta, también le gustarán:

penne con calabacitas, jamón y pistaches

194

spaghetti con quesos ricotta y pecorino

226

spaghetti integral con cebolla, calabacitas y albahaca

268

vermicelli con hierbas frescas

Varíe las hierbas para preparar este platillo de acuerdo a la temporada o a lo que tenga a la mano.

Rinde 6 porciones

15 minutos

15 minutos

1

- 500 gramos (1 lb) de pasta vermicelli
- 1/3 taza (90 ml) de aceite de oliva extra virgen
- 1 cebolla, finamente picada
- 2 dientes de ajo, finamente picados
- 2 cucharadas de menta fresca, finamente picada
- 2 cucharadas de perejil fresco, finamente picado
- 1 cucharada de salvia fresca, finamente picada
- 1 cucharada de romero fresco, finamente picado
- 1 cucharada de hojas de laurel
- 1/4 taza (60 ml) de brandy
- Sal y pimienta negra recién molida
- 1 taza (125 g) de queso parmesano recién rallado

1. **Cocine** la pasta vermicelli en una olla grande con agua hirviendo con sal hasta que esté al dente.
2. **Caliente** el aceite en una sartén grande sobre fuego medio. Añada la cebolla y el ajo y saltee de 3 a 4 minutos hasta que se dore ligeramente. Añada las hierbas y saltee durante 2 ó 3 minutos. Vierta el brandy y cocine a fuego lento hasta que evapore.
3. **Escurra** la pasta y pase a la sartén junto con la salsa. Sazone con sal y pimienta y espolvoree con el queso. Revuelva sobre fuego alto durante 2 minutos. Sirva caliente.

Si a usted le gustó esta receta, también le gustarán:

spaghetti hecho en casa con ajo y aceite

54

penne con calabacitas crudas, queso pecorino y menta

134

spaghetti con pesto de chícharos

244

spaghetti con arúgula, ajo y chile

Asegúrese de no quemar el ajo al dorarlo en el aceite. Si se oscurece demasiado, tendrá un desagradable sabor amargo que arruinará el platillo.

Rinde 6 porciones
15 minutos
15 minutos

500 gramos (1 lb) de spaghetti
1 manojo grande de arúgula
½ taza (125 ml) de aceite de oliva extra virgen
4 dientes de ajo, finamente picados
1–2 chiles secos, desmoronados
4–6 filetes de anchoa
Sal

1

1. **Cocine** el spaghetti en una olla grande con agua hirviendo con sal durante 10 minutos.
2. **Añada** la arúgula y continúe cocinando la pasta durante 1 ó 2 minutos, hasta que esté al dente.
3. **Mientras tanto,** caliente el aceite en una sartén sobre fuego medio. Saltee el ajo, los chiles y las anchoas durante 3 minutos, hasta que el ajo se dore ligeramente.
4. **Escurra** la pasta y la arúgula y añada a la sartén con el ajo y el aceite. Sazone con sal. Mezcle ligeramente y sirva caliente.

Si a usted le gustó esta receta, también le gustarán:

ravioli con pesto de aceitunas

90

farfalle con camarones y pesto

178

spaghetti con jitomates, arúgula y queso parmesano

Para variar un poco la receta puede utilizar spaghetti integral y floretes de brócoli en lugar de la arúgula. También puede agregar una pizca de chile rojo en hojuelas a los jitomates.

Rinde 4 porciones
30 minutos
30 minutos
2

- 5 cucharadas de aceite de oliva extra virgen
- 2 dientes de ajo, finamente picados
- 1 chile seco, desmoronado
- 3 tazas (750 ml) de jitomates, sin piel y picados
- 500 gramos (1 lb) de spaghetti
- 2 manojos grandes de arúgula, finamente picada
- 1 tallo de apio, toscamente picado
- ½ taza (60 g) de queso parmesano, rallado
- 1 cucharada de perejil fresco, finamente picado

1. **Caliente** el aceite en una sartén grande sobre fuego medio. Añada el ajo y el chile y saltee durante 3 minutos, hasta que el ajo se dore ligeramente.
2. **Integre** los jitomates y cocine a fuego medio-bajo durante 15 minutos.
3. **Mientras tanto,** cocine la pasta en una olla grande con agua hirviendo con sal hasta que esté al dente.
4. **Escurra** perfectamente e integre con la salsa. Agregue la arúgula, el apio, el queso parmesano y el perejil. Mezcle hasta integrar por completo y sirva caliente.

Si a usted le gustó esta receta, también le gustarán:

penne con jitomates cereza

140

ruote con pesto y jitomates cereza

152

spaghetti con jitomates y limón amarillo

Éste es otro platillo sencillo que puede preparar rápidamente con la seguridad de que estará sirviendo una deliciosa y nutritiva comida. Debido a que la salsa no se cocina, debe asegurarse de utilizar jitomates maduros para que aporten un buen sabor.

Rinde 6 porciones
10 minutos
15 minutos

- 1 kilogramo (2 lb) de jitomates maduros
- 500 gramos (1 lb) de spaghetti
- 4 cucharadas de albahaca fresca, finamente picada, + la necesaria para adornar
- $\frac{1}{3}$ taza (90 ml) de aceite de oliva extra virgen
- Jugo recién exprimido de 1 limón amarillo
- 2 dientes de ajo, finamente picados
- Sal y pimienta negra recién molida

1

1. **Blanquee** los jitomates en agua hirviendo durante 2 minutos. Escurra perfectamente y retire la piel. Pique toscamente la carne.
2. **Cocine** la pasta en una olla grande con agua hirviendo con sal hasta que esté al dente. Escurra perfectamente y pase a un plato de servicio grande.
3. **Añada** los jitomates, albahaca picada, aceite, jugo de limón y ajo. Sazone con sal y pimienta. Mezcle hasta integrar por completo. Adorne con las hojas de albahaca y sirva caliente.

Si a usted le gustó esta receta, también le gustarán:

penne con queso ricotta, calabacita y naranja

154

ensalada de pasta con toronja

119

spaghetti integral
con verduras de verano

Este platillo contiene una porción importante de fibra dietética que aporta la pasta integral y las verduras. Puede variar las verduras dependiendo de la temporada.

Rinde 6 porciones
20 minutos
20 minutos
1

- 150 gramos (5 oz) de ejotes, picados
- 500 gramos (1 lb) de pasta integral
- $\frac{1}{3}$ taza (90 ml) de aceite de oliva extra virgen
- 1 diente de ajo, finamente picado
- 2 tallos de apio, picados
- 20 jitomates cereza, partidos en cuartos
- 2 calabacitas (zucchini/courgettes) pequeñas, cortadas en juliana
- 1 pimiento (capsicum) amarillo, sin semillas y cortado en cubos pequeños
- 2 tazas (100 g) de hojas de arúgula (rocket) pequeña
- 1 cucharada de vinagre de vino blanco
- Sal y pimienta negra recién molida

1. **Cocine** los ejotes en una olla grande con agua hirviendo con sal de 4 a 6 minutos, hasta que estén suaves. Escurra perfectamente.
2. **Cocine** la pasta en una olla grande con agua hirviendo con sal hasta que esté al dente.
3. **Escurra** perfectamente y coloque dentro de un tazón grande junto con 2 cucharadas de aceite. Mezcle hasta integrar por completo.
4. **Añada** el ajo, ejotes, apio, jitomates, calabacitas, pimiento, arúgula, aceite restante y el vinagre. Sazone con sal y pimienta y mezcle hasta integrar por completo. Sirva de inmediato.

Si a usted le gustó esta receta, también le gustarán:

pilas de lasagna con pesto
106

penne con calabacitas crudas, queso pecorino y menta
134

farfalline con verduras asadas
132

spaghetti integral con calabacitas y pimiento

Este platillo es ideal para servir durante el verano cuando las calabacitas y el pimiento están en su mejor temporada.

Rinde 6 porciones
35 minutos
10-12 minutos
1

- 500 gramos (1 lb) de pasta integral
- ½ taza (125 ml) de aceite de oliva extra virgen
- 500 gramos (1 lb) de pimientos (capsicums) mixtos, sin semillas y cortados en cuadros pequeños
- 350 g (12 oz) de calabacitas (zucchini/courgettes), cortadas en cubos pequeños
- 150 gramos (5 oz) de queso ricotta salata o feta, cortado en cubos pequeños
- 2–3 cucharadas de mezcla de hierbas frescas, finamente picadas (perejil, albahaca, mejorana, tomillo)
- Sal y pimienta blanca recién molida
- 1 taza (100 g) de aceitunas negras, sin hueso

1. **Cocine** la pasta en una olla grande con agua hirviendo con sal hasta que esté al dente.
2. **Mientras la pasta se está cocinando,** caliente 3 cucharadas de aceite en una sartén grande sobre fuego medio y saltee las calabacitas durante 3 ó 4 minutos, hasta que empiecen a estar suaves.
3. **Escurra** la pasta y enjuague bajo el chorro de agua fría. Escurra nuevamente y seque sobre toallas de cocina limpias. Coloque en un tazón de servicio junto con 2 cucharadas de aceite. Mezcle ligeramente para prevenir que la pasta se pegue.
4. **Agregue** el queso, las calabacitas y los pimientos al platón con la pasta. Sazone con el aceite restante, las hierbas, sal, pimienta blanca y las aceitunas. Mezcle hasta integrar por completo y sirva.

Si a usted le gustó esta receta, también le gustarán:

pasta con jitomate, queso ricotta y pesto

144

spaghetti con pancetta, mozzarella y huevo

282

spaghetti integral con salsa picante

266

spaghetti con pimiento y pancetta

Este platillo es perfecto para servir cuando cuenta con poco tiempo pero quiere servir algo sustancioso y atractivo. Esta salsa combina también con pasta integral.

Rinde 6 porciones

15 minutos

30 minutos

1

- 1/3 taza (90 ml) de aceite de oliva extra virgen
- 90 gramos (3 oz) de pancetta o tocino, picado
- 1 cebolla blanca, finamente picada
- 1 diente de ajo, finamente picado
- 2 cucharadas de perejil fresco, finamente picado
- 6 hojas de albahaca fresca, troceadas
- 2 pimientos (capsicums) rojos, sin semillas y finamente rebanados
- 2 pimientos (capsicums) amarillos, sin semillas y finamente rebanados
- 2 tazas (400 g) de jitomates de lata, con su jugo
- 1/2 chile rojo fresco, sin semillas y picado
- 1/2 cucharadita de orégano seco
- Sal
- 2 cucharadas de alcaparras en salmuera, escurridas
- 1 puño de aceitunas verdes, sin hueso y toscamente picadas
- 500 gramos (1 lb) de spaghetti
- 1/2 taza (60 g) de queso pecorino o parmesano recién rallado

1 **Caliente** el aceite en una sartén grande sobre fuego medio. Añada la pancetta y saltee de 3 a 5 minutos, hasta dorar ligeramente.

2. **Añada** la cebolla, ajo, perejil, albahaca y pimientos. Saltee alrededor de 10 minutos, hasta que los pimientos y las cebollas estén suaves.

3. **Integre** los jitomates, el chile y el orégano. Sazone con sal. Mezcle hasta integrar por completo, tape y cocine a fuego lento alrededor de 15 minutos, hasta que los jitomates se hayan desbaratado. Añada las alcaparras y las aceitunas.

4. **Mientras tanto,** cocine la pasta en una olla grande con agua hirviendo con sal hasta que esté al dente. Escurra y añada a la sartén. Mezcle sobre fuego alto durante un minuto. Espolvoree con el queso y sirva caliente.

Si a usted le gustó esta receta, también le gustarán:

ensalada de fusilli con pimientos y arúgula

116

spaghetti con pancetta, mozzarella y huevo

282

spaghetti con jitomates deshidratados

Los jitomates deshidratados son un alimento muy saludable. Son una rica fuente de vitamina C y K, así como de potasio, cobre, manganeso, fibra dietética, tiamina, riboflavina, niacina, hierro y fósforo.

Rinde 6 porciones
25 minutos
20 minutos
1

- ¼ taza (60 ml) de aceite de oliva extra virgen
- 3 dientes de ajo, finamente rebanados
- 90 g (3 oz) de jitomates deshidratados, remojados en agua caliente durante 15 minutos, escurridos y toscamente picados
- 2 tazas (400 g) de jitomates de lata, con su jugo y picados
- 500 gramos (1 lb) de spaghetti
- 350 gramos (12 oz) de ejotes, sin puntas
- Sal y pimienta negra recién molida

1. **Caliente** el aceite en una sartén grande sobre fuego medio. Añada el ajo y los jitomates deshidratados y saltee durante 3 ó 4 minutos, hasta que el ajo se dore ligeramente.
2. **Añada** los jitomates de lata y cocine a fuego lento alrededor de 10 minutos, hasta que la salsa espese.
3. **Mientras tanto,** cocine la pasta en una olla grande con agua hirviendo con sal durante 5 minutos. Añada los ejotes y cocine hasta que la pasta esté al dente.
4. **Escurra** la pasta y los ejotes y añada a la sartén junto con la salsa. Sazone con sal y pimienta. Mezcle ligeramente sobre fuego alto durante un minuto. Sirva caliente.

Si a usted le gustó esta receta, también le gustarán:

cuadros de pasta con jitomate y pancetta

34

pasta con poro y jitomate

146

spaghetti con salsa de berros y nuez

Este platillo es rico en vitaminas, minerales y fibra dietética debido a sus ingredientes que incluyen berros frescos, cebolla, nuez, champiñones y pasta integral.

Rinde 6 porciones
20 minutos
20 minutos
1

- 500 gramos (1 lb) de spaghetti integral
- 3 cucharadas de aceite de oliva extra virgen
- 1 cebolla, finamente picada
- 2 dientes de ajo, finamente picados
- 60 gramos (2 oz) de champiñones, rebanados
- 1 taza (150 g) de nueces, toscamente picadas
- 1 manojo grande de berros frescos
- 1 taza (250 ml) de crema ácida
- Sal y pimienta negra recién molida

1. **Cocine** el spaghetti en una olla grande con agua hirviendo con sal hasta que esté al dente.
2. **Mientras tanto,** caliente el aceite en una sartén sobre fuego medio. Añada la cebolla, el ajo y saltee alrededor de 3 minutos, hasta que el ajo se dore ligeramente. Añada los champiñones y las nueces y cocine a fuego lento durante 4 ó 5 minutos.
3. **Retire** del fuego. Integre los berros y la crema. Sazone con sal y pimienta. Recaliente sobre fuego muy lento pero no permita que la salsa hierva.
4. **Escurra** la pasta y pase a un platón de servicio precalentado. Vierta la salsa sobre la superficie, mezcle ligeramente y sirva caliente.

Si a usted le gustó esta receta, también le gustarán:

fettuccine con pesto de piñones y nuez de castilla

38

spaghetti con pesto de nuez

228

spaghetti integral con salsa picante

La pasta integral tiene casi tres veces más fibra dietética que la pasta normal.

Rinde 6 porciones

15 minutos

30 minutos

1

- $\frac{1}{3}$ taza (90 g) de aceite de oliva extra virgen
- 2 dientes de ajo, finamente picados
- 1 chile rojo fresco, rebanado
- 6–8 filetes de anchoa
- 750 gramos ($1\frac{1}{2}$ lb) de jitomates maduros y firmes, sin piel y picados
- 1 taza (100 g) de aceitunas negras, sin hueso
- 2 cucharadas de alcaparras en sal, enjuagadas
- 1 cucharada de jitomate en pasta (concentrado)
- 500 gramos (1 lb) de spaghetti integral
- Sal

1. **Caliente** el aceite en una sartén grande sobre fuego medio. Añada el ajo y el chile y saltee durante 3 minutos hasta que el ajo se dore ligeramente.
2. **Añada** las anchoas y mezcle hasta que se disuelvan en el aceite. Añada los jitomates, las aceitunas, las alcaparras y el jitomate en pasta. Cocine a fuego lento durante 15 minutos.
3. **Mientras tanto,** cocine el spaghetti en una olla grande con agua hirviendo con sal hasta que esté al dente.
4. **Escurra** el spaghetti y añada a la sartén con la salsa. Mezcle sobre fuego alto durante 1 ó 2 minutos. Sirva caliente.

Si a usted le gustó esta receta, también le gustarán:

ravioli con pesto de aceitunas

90

farfalle con jitomates cereza y aceitunas

114

penne con jitomates y queso de cabra

156

spaghetti integral con cebolla, calabacitas y albahaca

El sabor dulce de las cebollas caramelizadas combina perfectamente con la pasta integral.

Rinde 6 porciones
15 minutos
20 minutos
1

- 1/3 taza (60 ml) de aceite de oliva extra virgen
- 2 cebollas grandes, rebanadas en aros delgados
- 1 chile rojo fresco, finamente rebanado
- 1/3 taza (90 ml) de agua fría
- 3 calabacitas (zucchini/courgettes) grandes, cortadas en cubos pequeños
- Sal y pimienta negra recién molida
- 500 gramos (1 lb) de spaghetti integral
- 1/2 taza (60 ml) de queso parmesano recién rallado
- 2–3 cucharadas de hojas de albahaca fresca, troceadas

1. **Caliente** el aceite en una sartén grande sobre fuego medio. Añada las cebollas y el chile y saltee durante 2 ó 3 minutos, hasta que estén suaves. Agregue el agua y cocine a fuego medio hasta que el agua se haya evaporado.
2. **Añada** las calabacitas y cocine a fuego lento de 10 a 15 minutos. Sazone con sal y pimienta.
3. **Mientras tanto,** cocine la pasta en una olla grande con agua hirviendo con sal hasta que esté al dente.
4. **Escurra ligeramente** la pasta y añada a la sartén con la salsa. Mezcle durante 1 ó 2 minutos sobre fuego alto, hasta que el agua se haya evaporado.
5. **Añada** el queso parmesano y la albahaca y mezcle nuevamente. Sirva caliente.

Si a usted le gustó esta receta, también le gustarán:

penne con calabacitas crudas, queso pecorino y menta
134

penne con pimientos, berenjena y calabacitas
126

spaghetti con flor de calabaza
242

spaghetti con calabaza y chorizo

El chorizo español está hecho a base de carne de cerdo y tiene un sabor intenso y picante. Su distintivo sabor y color rojo proviene de los chiles ahumados que se utilizan en la preparación.

Rinde 6 porciones
30 minutos
25 minutos
2

- 500 gramos (1 lb) de calabaza butternut o calabaza de invierno, sin piel ni semillas y cortada en cubos pequeños
- 1 taza (120 g) de chorizo (o salami picante), cortado en cubos pequeños
- Sal y pimienta negra recién molida
- 2 cucharadas de aceite de oliva extra virgen
- 500 gramos (1 lb) de jitomates cereza, partidos en mitades
- 1 manojo de hojas de salvia, toscamente picadas
- 500 gramos (1 lb) de spaghetti
- Queso parmesano recién rallado, para servir

1. **Precaliente** el horno a 220°C (450°F/gas 7).
2. **Coloque** la calabaza y el chorizo en una charola profunda con rejilla para asar. Sazone con sal y pimienta y rocíe con el aceite. Ase durante 20 minutos y agregue los jitomates y dos terceras partes de la salvia para que se asen durante los últimos 5 minutos.
3. **Cocine** la pasta en una olla grande con agua hirviendo con sal hasta que esté al dente.
4. **Escurra por completo** y pase a un platón de servicio precalentado. Mezcle con los ingredientes asados y los jugos depositados en la charola.
5. **Sirva caliente,** espolvoreado con la salvia restante y el queso parmesano.

Si a usted le gustó esta receta, también le gustarán:

pappardelle con calabaza y azafrán

48

ravioli con salsa de calabaza

94

bucatini con salsa amatriciana

Esta salsa proviene de Amatrice, un pequeño pueblo en las colinas del Lazio. Cada verano se lleva a cabo un festival en Amatrice y la hermosa plaza romana de Campo de'Fiori en honor a este especial platillo.

Rinde 6 porciones

15 minutos

40 minutos

1

- **250** gramos (8 oz) de pancetta o tocino, cortado en tiras delgadas
- **1** cebolla mediana, finamente picada
- **1** kilogramo (2 lb) de jitomates maduros, sin piel y picados
- **1** chile rojo fresco pequeño, sin semillas y picado
- Sal y pimienta negra recién molida
- **500** gramos (1 lb) de bucatini o spaghetti

1. **Saltee** el pancetta en una sartén grande sobre fuego medio durante 5 minutos, hasta que esté ligeramente dorada.
2. **Añada** la cebolla y saltee durante 3 minutos hasta que esté suave. Agregue los jitomates y el chile. Mezcle hasta integrar por completo y sazone con sal y pimienta.
3. **Tape** parcialmente y cocine a fuego lento durante 30 minutos, hasta que los jitomates se hayan desbaratado.
4. **Cocine** la pasta en una olla grande con agua hirviendo con sal hasta que esté al dente. Escurra por completo y añada a la salsa. Mezcle sobre fuego alto durante un minuto. Sirva caliente.

Si a usted le gustó esta receta, también le gustarán:

cuadros de pasta con jitomate y pancetta

34

maccheroni con jitomate y jamón ahumado

200

bucatini con jitomates, almendras y pan frito

La pasta bucatini es un tipo de spaghetti grueso y hueco en el centro. Provienen del centro de Italia.

Rinde 6 porciones

15 minutos

20 minutos

1

- $\frac{1}{4}$ taza (60 ml) de aceite de oliva extra virgen
- 1 cebolla grande, finamente picada
- 4 tazas (800 g) de jitomates de lata, con su jugo
- Sal y pimienta negra recién molida
- $\frac{1}{2}$ taza (90 g) de almendras
- 4 rebanadas gruesas de pan crujiente del día anterior, cortado en cubos
- 500 gramos (1 lb) de bucatini o spaghetti
- $\frac{3}{4}$ taza (74 g) de pecorino añejo, rallado

1. **Caliente** una cucharada de aceite en una sartén grande sobre fuego lento y cocine la cebolla durante 10 minutos. Añada los jitomates y sazone con sal y pimienta. Tape y cocine a fuego lento de 20 a 25 minutos.
2. **Tueste** las almendras en una sartén sobre fuego medio. Retire del fuego y pique toscamente.
3. **Caliente** el aceite restante en la misma sartén sobre fuego lento y saltee el pan hasta que esté dorado y crujiente.
4. **Cocine** la pasta bucatini en una olla grande con agua hirviendo con sal hasta que esté al dente. Escurra y pase a un platón de servicio precalentado.
5. **Vierta** la salsa sobre la superficie. Espolvoree con las almendras, el pan y el queso pecorino. Sirva caliente.

Si a usted le gustó esta receta, también le gustarán:

tagliolini con pesto de almendras y albahaca

32

ruote con pesto y jitomates cereza

152

bucatini con huevo y alcachofas

Este delicioso platillo contiene suficientes proteínas, vitaminas y minerales para proporcionar una comida nutritiva para su familia.

Rinde 6 porciones
25 minutos
30 minutos
1

- $\frac{1}{4}$ taza (60 ml) de aceite de oliva extra virgen
- 1 cebolla, finamente picada
- 90 gramos (3 oz) de pancetta o tocino, finamente rebanado
- 4 alcachofas
- Sal
- 1 taza (250 ml) de vino blanco seco
- 1 taza (250 ml) de agua
- 2 huevos
- 500 gramos (1 lb) de bucatini
- $\frac{1}{2}$ taza (60 g) de queso pecorino recién rallado

1. **Caliente** el aceite en una sartén grande y saltee la cebolla y la pancetta alrededor de 5 minutos, hasta que se doren ligeramente.
2. **Recorte** los tallos y el tercio superior de las hojas de las alcachofas. Retire las hojas duras exteriores doblándolas hacia fuera para arrancarlas. Corte longitudinalmente a la mitad y utilice un cuchillo para retirar el centro fibroso de las alcachofas. Parta en rebanadas delgadas.
3. **Añada** las alcachofas a la sartén y sazone con sal. Saltee durante 2 ó 3 minutos. Vierta el vino y cocine hasta que se haya evaporado. Agregue el agua. Cocine a fuego lento alrededor de 15 minutos, hasta que las alcachofas estén suaves.
4. **Cocine** la pasta en una olla grande con agua hirviendo con sal hasta que esté al dente.
5. **Mientras la pasta se está cocinando,** bata los huevos en un tazón pequeño. Sazone con sal.
6. **Escurra** la pasta y añada a la sartén con la salsa de alcachofa. Agregue la mezcla de huevo y el queso pecorino y mezcle sobre fuego alto alrededor de 3 minutos, hasta que el huevo se haya cocinado. Sirva caliente.

Si a usted le gustó esta receta, también le gustarán:

fettuccine con alcachofas

42

pasta con queso de cabra y alcachofas

168

spaghetti picante con pancetta y cebolla

Si le gusta la comida picante, este platillo es ideal para usted. Pero si no le gusta, puede eliminar el chile de esta receta.

Rinde 6 porciones

10 minutos

15 minutos

1

500 gramos (1 lb) de spaghetti
$\frac{1}{3}$ taza (90 ml) de aceite de oliva extra virgen
1 chile seco (peperoncino o de árbol), desmoronado
150 gramos (5 oz) de pancetta, picada en trozos grandes
1 cebolla, finamente picada
1 taza (50 g) de perejil fresco recién picado
1 taza (125 g) de queso pecorino recién rallado

1. **Cocine** la pasta en una olla grande con agua hirviendo con sal hasta que esté al dente.
2. **Mientras la pasta se está cocinando,** caliente el aceite en una sartén mediana sobre fuego alto. Saltee el chile y la pancetta durante 3 ó 4 minutos, hasta que se doren ligeramente. Retire la pancetta y reserve.
3. **En la misma sartén,** saltee la cebolla sobre fuego medio alrededor de 3 minutos, hasta que esté suave. Regrese la pancetta a la sartén y cocine a fuego lento.
4. **Escurra** la pasta y añada a la salsa. Sazone con perejil y queso pecorino. Mezcle hasta integrar por completo y sirva.

Si a usted le gustó esta receta, también le gustarán:

cuadros de pasta con jitomate y pancetta

34

fettuccine con pancetta y radicchio

82

penne con salsa picante de jitomate

160

spaghetti con berenjena frita y jitomate

La sal gruesa es un cristal de sal marina de mayor tamaño y funciona mejor que la sal de mesa regular para extraer el líquido de las berenjenas. Además, es menos sensible a la humedad por lo que tiende menos a apelmazarse y se puede almacenar con mayor facilidad.

Rinde 6 porciones

1 hora

1 hora

1 hora

1

400 gramos (14 oz) de berenjenas, con piel, finamente rebanadas
2 cucharadas de sal de mar gruesa
1 taza (250 ml) de aceite de oliva, para freír

SALSA DE JITOMATE

2 kg (2 lb) de jitomates maduros, sin piel y toscamente picados
1 cebolla, finamente rebanada
2 dientes de ajo, finamente picados
1 manojo pequeño de albahaca fresca, troceada
2 cucharadas de aceite de oliva extra virgen
$\frac{1}{4}$ cucharadita de azúcar
Sal
500 gramos (1 lb) de spaghetti
6 cucharadas de queso parmesano recién rallado

1. **Coloque** las berenjenas en un colador y espolvoree con la sal gruesa. Deje escurrir durante una hora.
2. **Para preparar la salsa de jitomate,** mezcle los jitomates con la cebolla, ajo, albahaca, aceite, azúcar y sal en una sartén mediana. Tape y cocine a fuego medio durante 15 minutos. Destape y cocine a fuego lento durante 40 minutos.
3. **Pique** la salsa en un procesador de alimentos hasta que la mezcla esté tersa.
4. **Caliente** el aceite para freír en una sartén profunda hasta que esté caliente. Sacuda la sal de las berenjenas y fría en tandas pequeñas de 5 a 7 minutos cada una, hasta que estén suaves. Escurra sobre toallas de papel. Mantenga calientes.
5. **Cocine** la pasta en una olla grande con agua hirviendo con sal hasta que esté al dente. Escurra y añada a la salsa. Mezcle hasta integrar por completo y coloque en cuatro a seis platos de servicio individuales. Cubra cada porción con berenjena y espolvoree con queso parmesano. Sirva caliente.

Si a usted le gustó esta receta, también le gustarán:

penne con pimientos, berenjena y calabacitas

126

spaghetti con jitomates deshidratados

262

spaghetti con pancetta, mozzarella y huevo

282

spaghetti con pancetta, mozzarella y huevo

Este sustancioso platillo puede servirse como comida completa.

Rinde 6 porciones
15 minutos
30 minutos
2

2	huevos grandes
$\frac{1}{3}$	taza (90 ml) de aceite de oliva extra virgen
3	berenjenas pequeñas, con piel y cortadas en cubos pequeños
2	dientes de ajo, finamente picados
125	gramos (4 oz) de pancetta o tocino, toscamente picado
4	tazas (800 g) de jitomates de lata, con su jugo
1	chile rojo fresco, sin semillas y picado
	Sal y pimienta negra recién molida
125	gramos (4 oz) de queso mozzarella fresco, escurrido y cortado en cubos pequeños
500	gramos (1 lb) de spaghetti

1. **Coloque** los huevos una olla pequeña con agua fría y lleve a ebullición sobre fuego medio. Cocine durante 8 minutos desde el momento en que el agua suelte el hervor. Escurra y enfríe los huevos bajo el chorro de agua fría. Retire el cascarón y pique toscamente.
2. **Caliente** el aceite en una sartén grande sobre fuego medio. Añada la berenjena y saltee alrededor de 10 minutos, hasta que esté suave. Usando una cuchara ranurada coloque sobre una capa de toallas de papel. Deje escurrir.
3. **Añada** el ajo y la pancetta a la sartén y saltee de 3 a 5 minutos, hasta que estén ligeramente dorados.
4. **Integre** los jitomates y el chile; sazone con sal y pimienta. Cocine a fuego lento alrededor de 20 minutos, hasta que la salsa espese.
5. **Cocine** la pasta en una olla grande con agua hirviendo con sal hasta que esté al dente.
6. **Escurra** y agregue a la sartén junto con el queso mozzarella. Revuelva sobre fuego alto durante un minuto. Pase a un platón de servicio.
7. **Acomode** la berenjena cocida sobre la pasta. Espolvoree con el huevo picado y sirva caliente.

Si a usted le gustó esta receta, también le gustarán:

spaghetti con berenjena frita y jitomate
280

spaghetti con pimiento y pancetta
260

spaghetti en tinta de calamar

Puede utilizar la cantidad de tinta que usted desee. Las sepias contienen más tinta que los calamares, pero los segundos son más fáciles de conseguir. Pida a un pescadero que le prepare las sepias o los calamares.

Rinde 4 porciones

45 minutos

1 hora 45 minutos

3

- 500 gramos (1 lb) de calamares o sepias
- ¼ taza (60 ml) de aceite de oliva extra virgen
- 2 dientes de ajo, finamente picados
- Hojas de 1 manojo pequeño de perejil fresco, finamente picadas
- ½ cucharadita de hojuelas de chile rojo
- 1 cucharada de jitomate en pasta (concentrado)
- ⅓ taza (90 ml) de vino blanco
- Sal
- ⅓ taza (90 ml) de agua caliente
- 350 gramos (12 oz) de spaghetti

1. **Para limpiar los calamares,** retire las vísceras, asegurándose de no lastimar la pequeña bolsa de color gris plateado, que es la bolsa de la tinta, localizada en la parte superior del molusco. Asegúrese de retirar la espina que corre a lo largo de su interior.
2. **Corte** los tentáculos justo por abajo de los ojos. Reserve los tentáculos y la bolsa de tinta y deseche las vísceras restantes.
3. **Corte** los cuerpos en cuadros pequeños y corte los tentáculos en trozos pequeños.
4. **Caliente** el aceite en una olla mediana sobre fuego medio. Añada el ajo y saltee alrededor de 3 minutos, hasta que se dore ligeramente
5. **Agregue** los calamares, el perejil y las hojuelas de chile. Tape y cocine a fuego lento durante 45 minutos.
6. **Vierta** la mitad del vino en un tazón pequeño, agregue el jitomate en pasta y mezcle hasta que se disuelva. Añada a la olla.
7. **Cocine** a fuego lento durante 20 minutos. Sazone con sal y agregue el agua caliente. Tape y hierva a fuego lento durante 30 minutos más.
8. **Retire** la tinta de las bolsas, mezcle con el vino restante e integre con la salsa.
9. **Cocine** la pasta en una olla grande con agua hirviendo con sal hasta que esté al dente. Escurra, agregue a la sartén con la salsa mezclando hasta integrar por completo. Sirva caliente.

spaghetti con atún y alcaparras

Este platillo es muy llamativo y, sin embargo, puede prepararse en tan sólo unos minutos, por lo que es ideal si necesita preparar una cena rápida al regresar del trabajo.

Rinde 4 porciones
10 minutos
15 minutos
1

- 1 taza (100 g) de alcaparras en sal
- 250 gramos (8 oz) de atún en aceite, escurrido
- Hojas de 1 manojo de menta fresca
- ½ cucharadita de hojuelas de chile rojo (opcional)
- 3 cucharadas de aceite de oliva extra virgen
- Sal
- 500 gramos (1 lb) de spaghetti

1. **Enjuague** las alcaparras bajo el chorro de agua fría y cubra con agua limpia en una olla pequeña. Caliente sobre fuego medio. Lleve a ebullición, escurra, enjuague de nuevo y seque suavemente con toallas de papel.
2. **Mezcle** las alcaparras con el atún, la menta y el chile en polvo, si lo usa, en un tazón grande con el aceite. Sazone con sal
3. **Cocine** la pasta en una olla grande con agua hirviendo con sal hasta que esté al dente. Añada 3 cucharadas del agua de cocción a la salsa para darle una consistencia cremosa.
4. **Escurra** la pasta y mezcle con la salsa de atún. Sirva caliente.

Si a usted le gustó esta receta, también le gustarán:

ensalada de pasta con atún y aceitunas

ensalada de pasta con atún fresco

pasta con salsa de atún

spaghetti con almejas

Si no le gustan los platillos picantes, no utilice chile en la preparación de esta receta.

Rinde 6 porciones
20 minutos
1 hora
30 minutos
1

1 kilogramo (2 lb) de almejas en su concha
¼ taza (60 ml) de aceite de oliva extra virgen
6 dientes de ajo, finamente picados
1 chile rojo fresco, sin semillas y picado
6 jitomates grandes, en rebanadas
⅓ taza (90 ml) de vino blanco seco
Sal
500 gramos (1 lb) de spaghetti
3 cucharadas de perejil fresco, finamente picado

1. **Remoje** las almejas en un tazón grande con agua fría durante una hora.
2. **Coloque** las almejas en una sartén grande sobre fuego medio con un poco de agua. Tape y cocine de 5 a 10 minutos, hasta que se abran. Sacuda la sartén mientras cocina. Deseche las almejas que no se hayan abierto. Retire del fuego y deseche la mayor parte de las conchas, dejando sólo algunas para adornar.
3. **Caliente** el aceite en una sartén grande sobre fuego medio. Añada el ajo y el chile y saltee durante 3 ó 4 minutos, hasta que estén ligeramente dorados.
4. **Añada** los jitomates y el vino, sazone con sal y cocine a fuego lento de 10 a 15 minutos, hasta que los jitomates comiencen a desbaratarse. Añada las almejas y mezcle hasta integrar por completo.
5. **Mientras tanto,** cocine la pasta en una olla grande con agua hirviendo con sal hasta que esté al dente. Escurra y añada a la sartén con las almejas. Mezcle sobre fuego alto durante 2 minutos. Espolvoree con el perejil y sirva caliente.

Si a usted le gustó esta receta, también le gustarán:

penne con mejillones

190

pasta con salsa de atún

182

spaghetti con almejas, chile y arúgula

290

spaghetti con almejas, chile y arúgula

Utilice almejas pequeñas y frescas para obtener los mejores resultados con este platillo. Es necesario remojar las almejas para retirar los depósitos de arena en sus conchas.

Rinde 6 porciones
10 minutos
1 hora
15 minutos

1

1 kilogramo (2 lb) de almejas en su concha
500 gramos (1 lb) de spaghetti
2 cucharadas de aceite de oliva extra virgen
2 dientes de ajo, finamente picados
$\frac{1}{3}$ taza (90 ml) de vino blanco seco
1 chile rojo fresco, sin semillas y finamente picado
Sal
4 gramos (4 oz) de arúgula
Queso parmesano rallado, para acompañar
Pimienta negra recién molida

1. **Remoje** las almejas en un tazón grande con agua fría alrededor de una hora.
2. **Cocine** la pasta en una olla grande con agua hirviendo con sal hasta que esté al dente.
3. **Mientras tanto,** caliente el aceite en una sartén grande sobre fuego medio-alto. Añada las almejas y el ajo, agitando la sartén de vez en cuando. Añada el vino, tape y cocine durante 5 minutos, hasta que las almejas se hayan abierto.
4. **Deseche** las almejas que no se hayan abierto. Añada el chile y sazone con sal.
5. **Escurra** la pasta y pase a la sartén con las almejas. Agregue la arúgula y mezcle hasta que comience a marchitarse ligeramente.
6. **Sirva** caliente acompañando con queso parmesano y bastante pimienta negra.

Si a usted le gustó esta receta, también le gustarán:

penne con mejillones 190

spaghetti con almejas 288

spaghetti con mejillones 294

linguine con cangrejo y limón amarillo

Si utiliza cangrejo de lata, asegúrese de revisar bien la carne y retirar cualquier fragmento de concha o cartílago ya que es desagradable encontrarlos en la comida.

Rinde 6 porciones
20 minutos
15 minutos
2

- 500 gramos (1 lb) de linguine
- $\frac{1}{3}$ taza (90 ml) de aceite de oliva extra virgen
- 3 dientes de ajo, finamente picados
- 1 chile rojo fresco, sin semillas y finamente picado
- 250 gramos (8 oz) de cangrejo recién cocido o cangrejo de lata, escurrido
- $\frac{1}{2}$ taza (125 ml) de vino blanco seco
- Sal y pimienta negra recién molida
- 4 cucharadas de perejil fresco, finamente picado
- Ralladura fina de 1 limón amarillo

1. **Cocine** la pasta en una olla grande con agua hirviendo con sal hasta que esté al dente.
2. **Mientras la pasta se está cocinando,** caliente 3 cucharadas del aceite en una sartén grande sobre fuego medio. Añada el ajo y el chile; saltee durante 3 minutos hasta que el ajo se dore ligeramente.
3. **Agregue** el cangrejo y el vino, sazone con sal y pimienta y saltee durante 2 ó 3 minutos, hasta que esté muy caliente.
4. **Escurra** la pasta y pase a la sartén con el cangrejo. Rocíe con el aceite restante y espolvoree con el perejil y la ralladura de limón amarillo. Mezcle hasta integrar por completo y sirva caliente.

Si a usted le gustó esta receta, también le gustarán:

penne con mariscos y naranja

176

spaghetti con langosta

296

spaghetti con vodka y caviar

300

spaghetti con mejillones

A veces los mejillones tienen "barbas" o filamentos que vienen adheridos a las conchas. Puede retirarlos con un cepillo de cerdas de alambre o con un cuchillo. Deseche todos los mejillones que tengan la concha rota.

Rinde 4 porciones
15 minutos
30 minutos
1

- 1 kilogramo (2 lb) de mejillones
- $\frac{1}{3}$ taza (90 ml) de vino blanco seco
- $\frac{1}{2}$ taza (125 ml) de aceite de oliva extra virgen
- 4–6 dientes de ajo, finamente picados
- 1 manojo grande de perejil fresco, finamente picado
- Sal y pimienta negra recién molida
- 500 gramos (1 lb) de spaghetti

1. **Remoje** los mejillones en un platón grande con agua fría durante una hora. Tállelos para retirar los filamentos.
2. **Coloque** los mejillones en una olla grande, rocíe con el vino y cocine de 5 a 10 minutos sobre fuego medio-alto, agitando la olla ocasionalmente, hasta que se abran. Deseche los mejillones que no se hayan abierto.
3. **Cuele** el líquido de los mejillones y reserve. Retire los mejillones de sus conchas.
4. **Caliente** el aceite en una sartén grande sobre fuego medio y saltee el ajo, el perejil y los mejillones sin conchas durante 4 ó 5 minutos. Sazone con sal y pimienta. Retire la mezcla de los mejillones y reserve tapada con un plato para mantener caliente.
5. **Cocine** la pasta en una olla grande con agua hirviendo con sal hasta un poco antes de que esté al dente.
6. **Agregue** el líquido colado de los mejillones a la sartén previamente utilizada para saltear los mejillones y lleve a ebullición.
7. **Escurra** la pasta y termine de cocer en el líquido hirviendo de la cocción de los mejillones. Añada todos los mejillones, mezcle hasta integrar por completo y sirva caliente.

Si a usted le gustó esta receta, también le gustarán:

penne con mejillones

spaghetti con mariscos en papillote

spaghetti con langosta

Pida al pescadero que le prepare la langosta. Si desea, sustituya la langosta con camarones enteros (cigalas) o langostinos Dublín.

Rinde 6 porciones
45 minutos
45 minutos
1

- **¼ taza (60 ml) de aceite de oliva extra virgen**
- **1 cebolla, finamente picada**
- **2 cucharadas de perejil fresco, finamente picado**
- **350 gramos (12 oz) de jitomates saladet, sin piel y presionados a través de un colador de malla fina (passata)**
- **350 gramos (12 oz) de langosta, cortada en trozos grandes (la carne de una langosta que pese aproximadamente 750 g / 1½ lb)**
- **Sal**
- **350 gramos (12 oz) de spaghetti**

1. **Caliente** el aceite en una sartén grande sobre fuego medio. Añada la cebolla y saltee durante 3 ó 4 minutos, hasta que esté suave.
2. **Añada** una cucharada de perejil y los jitomates. Cocine a fuego lento de 15 a 20 minutos, hasta que los jitomates se hayan cocido por completo.
3. **Agregue** la langosta y sazone con sal. Hierva a fuego lento durante 10 minutos.
4. **Mientras tanto,** cocine la pasta en una olla grande con agua hirviendo con sal hasta que esté al dente. Escurra y añada a la sartén. Mezcle hasta integrar por completo.
5. **Sirva** en platos individuales y adorne con el perejil restante.

Si a usted le gustó esta receta, también le gustarán:

penne con mariscos y naranja

176

penne con jitomate y camarones

186

linguine con cangrejo y limón amarillo

292

spaghetti con mariscos

Las sepias y los calamares deben cocinarse muy rápidamente o asarse a fuego lento por lo menos durante 45 minutos; de otra manera pueden volverse duros y chiclosos. En esta receta los cocinamos muy rápidamente, los retiramos de la sartén y los agregamos a la pasta al final.

Rinde 6 porciones

30 minutos

1 hora

20 minutos

2

- 350 gramos (12 oz) de mejillones en su concha
- 350 gramos (12 oz) de almejas en su concha
- 350 gramos (12 oz) de calamares, limpios
- 350 gramos (12 oz) de sepias
- 350 gramos (12 oz) de camarones (langostinos)
- ½ taza (125 ml) de aceite de oliva extra virgen
- 2 dientes de ajo, finamente picados
- 3 cucharadas de perejil fresco, finamente picado
- 1 cucharadita de hojuelas de chile rojo
- ½ taza (125 ml) de vino blanco seco
- Sal y pimienta negra recién molida
- 500 gramos (1 lb) de spaghetti

1. **Talle** los mejillones y las almejas y remoje en agua fría durante una hora. Limpie los calamares y las sepias. Pique los cuerpos en aros y los tentáculos en trozos cortos. No retire la piel de los camarones.
2. **Caliente** 2 cucharadas del aceite en una sartén grande sobre fuego medio. Añada los mejillones y las almejas y cocine al vapor de 5 a 10 minutos, hasta que se abran. Deseche los que no hayan abierto. Extraiga las almejas y los mejillones de sus conchas.
3. **Caliente** 2 cucharadas del aceite en una sartén grande sobre fuego medio. Añada el ajo, el perejil y el chile rojo en hojuelas y saltee durante 2 minutos cuidando que no se doren.
4. **Aumente** el fuego a lo más alto. Añada los calamares y las sepias. Sazone con sal y pimienta, cocine brevemente, retire los calamares y las sepias de la sartén y reserve.
5. **Añada** el vino y cocine a fuego lento durante 2 ó 3 minutos. Agregue los camarones, las almejas y los mejillones. Cocine a fuego lento durante 2 ó 3 minutos, hasta que los camarones estén cocidos.
6. **Mientras tanto,** cocine el spaghetti en una sartén grande con agua hirviendo con sal hasta que esté al dente.
7. **Escurra** la pasta y añada a la sartén con la salsa de mariscos. Regrese los calamares y las sepias a la sartén. Mezcle durante 1 ó 2 minutos sobre fuego medio-alto. Rocíe con las 2 cucharadas restantes de aceite. Pase a un platón precalentado y sirva de inmediato.

spaghetti con vodka y caviar

Existen muchos tipos de caviar pero el más famoso, y también más caro, es el caviar Beluga. En este platillo puede utilizar hueva de esturión de Alabama o de salmón, que tienen un sabor más delicado y son más baratas.

Rinde 6 pociones
5 minutos
10-12 minutos
1

500 gramos (1 lb) de spaghetti
¼ taza (60 g) de mantequilla
¼ taza (60 ml) de vodka
Jugo recién exprimido de 1½ limón amarillo
125 gramos (4 oz) de salmón ahumado, desmoronado
4 cucharaditas de caviar
¼ taza (60 ml) de crema ligera (light)
Sal y pimienta negra recién molida

1. **Cocine** el spaghetti en una olla grande con agua hirviendo con sal hasta que esté al dente.
2. **Derrita** la mantequilla en una sartén grande sobre fuego lento y añada el vodka y el jugo de limón amarillo.
3. **Integre** el salmón y el caviar. Cocine sobre fuego medio-bajo durante 2 ó 3 minutos. Añada la crema y sazone con sal y pimienta. Retire del fuego.
4. **Escurra** la pasta y agregue a la sartén con el salmón. Mezcle hasta integrar por completo sobre fuego medio y sirva caliente.

Si a usted le gustó esta receta, también le gustarán:

fettuccine con salmón y chícharos
64

ravioli de salmón con limón amarillo y eneldo
92

penne con salmón ahumado
174

spaghetti con mariscos en papillote

En papillote es un término culinario de la cocina francesa por medio del cual la comida se envuelve (por lo general pescado con una guarnición de verduras) en papel encerado o aluminio y se cocina en un horno caliente.

Rinde 8 porciones
30 minutos
1 hora
40 minutos
2

750 gramos (1 ½ lb) de almejas en su concha
750 gramos (1 ½ lb) de mejillones en su concha
400 gramos (14 oz) de calamares pequeños, limpios
2 dientes de ajo, finamente picados
1 chile seco, desmoronado
2 cucharadas de perejil fresco recién picado
⅓ taza (90 ml) de aceite de oliva extra virgen
½ taza (125 ml) de vino blanco seco
750 gramos (1 ½ lb) de jitomates maduros firmes, sin piel y picados
350 gramos (12 oz) de langostinos de río, sin piel (opcional)
500 gramos (1 lb) de spaghetti
Sal

1. **Remoje** las almejas y los mejillones en un tazón grande con agua fría durante una hora. Escurra y reserve.
2. **Retire** la piel moteada de los calamares y corte los cuerpos en trozos pequeños. Corte los tentáculos en mitades.
3. **Precaliente** el horno a 180°C (350°F/gas 4).
4. **Coloque** el aceite en una sartén grande y saltee el ajo, el chile y el perejil durante 3 minutos sobre fuego medio, hasta que el ajo se dore ligeramente. Vierta el vino y deje evaporar. Añada los jitomates y cocine a fuego lento durante 10 minutos. Sazone al gusto.
5. **Añada** los calamares, almejas, mejillones y langostinos de río, si los usa. Tape y cocine a fuego medio hasta que las almejas y los mejillones se abran. Retire del fuego y deseche las almejas y mejillones que no se hayan abierto. Extraiga la mitad de los mariscos de sus conchas.
6. **Mientras tanto,** cocine el spaghetti en una olla con agua hirviendo con sal durante la mitad del tiempo que indica la envoltura. Escurra e integre con la salsa de mariscos.
7. **Corte** 8 trozos grandes de papel aluminio o papel encerado para hornear y doble cada uno a la mitad para duplicar su grosor.
8. **Divida** la pasta en ocho porciones y coloque en el centro de los trozos de papel aluminio o papel encerado para hornear, agregando 3 cucharadas del agua de cocción de la pasta a cada porción. Cierre y asegúrese de sellar perfectamente. Debe quedar un poco de aire en cada paquete.
9. **Hornee** de 12 a 15 minutos o hasta que los paquetes estén ligeramente esponjados. Sirva los paquetes directamente a la mesa; sus invitados se divertirán tanto abriendo los aromáticos paquetes como al comer su contenido.

spaghetti con chili

En muchas partes de los Estados Unidos este platillo es mejor conocido como *Cincinnati* chili. Es un sustancioso platillo que se puede servir como plato único de una comida.

Rinde 6 porciones

30 minutos

2 horas

2

- 2 cucharadas de aceite de oliva extra virgen
- 1 cebolla grande, finamente picada
- 2 dientes de ajo, finamente picados
- 750 gramos ($1\frac{1}{2}$ lb) de carne magra de res molida
- 1 cucharada de chile en polvo
- 1 cucharadita de pimienta de jamaica molida
- 1 cucharadita de canela molida
- 1 cucharadita de comino molido
- $\frac{1}{2}$ cucharadita de pimienta de cayena
- $\frac{1}{2}$ cucharadita de sal
- $1\frac{1}{2}$ cucharadita de cocoa en polvo sin azúcar
- 2 tazas (400 g) de jitomates de lata, con su jugo
- 1 cucharada de salsa inglesa
- 1 cucharada de vinagre de sidra
- $\frac{1}{2}$ taza (125 ml) de agua
- 500 gramos (1 lb) de spaghetti
- 2 tazas (400 g) de frijoles rojos de lata, escurridos
- 2 tazas (200 g) de queso cheddar fuerte recién rallado, para acompañar
- 1 taza de cebolla finamente picada, para acompañar

1. **Caliente** el aceite en una sartén grande sobre fuego medio. Añada la cebolla, el ajo, la carne y el chile en polvo y saltee durante 5 ó 6 minutos, hasta que la carne se dore.
2. **Añada** la pimienta de jamaica molida, canela, comino, pimienta de cayena, sal, cocoa, jitomates, salsa inglesa, vinagre de sidra y agua. Reduzca a fuego lento y cocine durante 1 hora 45 minutos. Mezcle frecuentemente y añada un poco de agua si la salsa se reseca demasiado.
3. **Cocine** el spaghetti en una olla grande con agua hirviendo con sal hasta que esté al dente. Caliente los frijoles rojos hasta que estén calientes.
4. **Escurra** el spaghetti y divida entre seis platos de servicio. Bañe con la salsa, seguida por los frijoles rojos y espolvoree con el queso y la cebolla. Sirva caliente.

Si a usted le gustó esta receta, también le gustarán:

fettuccine con salsa de pollo picante

46

spaghetti con calabaza y chorizo

270

spaghetti con albóndigas

Puede preparar un platillo más picante con la salsa de la página 52

Rinde 8 porciones

40 minutos

3 horas 20 minutos

2

SALSA

- 1/4 taza (60 ml) de aceite de oliva extra virgen
- 1 cebolla pequeña, finamente picada
- 1 zanahoria, finamente picada
- 350 gramos (12 oz) de carne de res para guisado
- 1 kilogramo (2 lb) de jitomates maduros, sin piel y picados
- Sal
- 500 gramos (1 lb) de spaghetti

ALBÓNDIGAS

- 350 gramos (12 oz) de carne molida
- 1 huevo grande
- 2 tazas (250 g) de queso parmesano recién rallado
- 4 tazas (250 g) de migas de pan fresco
- 1/4 cucharadita de nuez moscada recién molida
- 1 taza (250 ml) de aceite de oliva, para freír

1. **Para preparar la salsa,** caliente el aceite en una sartén grande sobre fuego medio y saltee la cebolla y la zanahoria alrededor de 3 minutos, hasta que estén suaves.
2. **Añada** la carne y saltee de 8 a 10 minutos, hasta que se dore.
3. **Añada** los jitomates y sazone con sal. Cocine a fuego lento alrededor de 3 horas, hasta que la carne esté suave. Retire la carne. Puede servirse por separado, después de la pasta.
4. **Para preparar las albóndigas,** mezcle la carne molida con el huevo, queso parmesano, migas de pan y nuez moscada en un tazón grande hasta integrar por completo. Con trozos de la mezcla forme bolas del tamaño de una canica.
5. **Caliente** el aceite para freír en una sartén grande. Fría las albóndigas en tandas pequeñas de 5 a 7 minutos por cada tanda, hasta que se doren. Escurra sobre toallas de papel.
6. **Cocine** la pasta en una olla grande con agua hirviendo con sal hasta que esté al dente. Escurra y pase a la sartén con la salsa. Mezcle con las albóndigas hasta integrar por completo y sirva caliente.

spaghetti con salsa de salchicha italiana

Para preparar este sencillo pero sustancioso platillo, asegúrese de utilizar salchichas italianas que tengan mucho sabor.

Rinde 6 porciones
15 minutos
30 minutos
1

2 cucharadas de aceite de oliva extra virgen
1 cebolla grande, picada
2 dientes de ajo, finamente picados
5 salchichas italianas, sin cubierta
4 tazas (800 g) de jitomates de lata, con su jugo
Sal y pimienta negra recién molida
500 gramos (1 lb) de spaghetti
Queso parmesano recién rallado, para servir

1. **Caliente** el aceite en una sartén grande sobre fuego medio. Añada la cebolla y el ajo y saltee durante 3 ó 4 minutos, hasta que estén suaves.
2. **Añada** las salchichas y saltee de 5 a 10 minutos, hasta que se doren. Añada los jitomates y cocine durante 15 minutos. Sazone con sal y pimienta.
3. **Mientras tanto,** cocine la pasta en una olla grande con agua hirviendo con sal hasta que esté al dente.
4. **Escurra** y pase a la sartén con la salsa. Mezcle hasta integrar por completo y sirva caliente acompañando con el queso parmesano.

Si a usted le gustó esta receta, también le gustarán:

pappardelle con salchicha y champiñones

68

festonati con salchichas italianas y brócoli

196

garganelli con salsa cremosa de salchicha

202

spaghetti con pimientos rellenos

Éste es otro platillo muy sustancioso que puede servirse como una comida completa.

- Rinde 6 porciones
- 15 minutos
- 70 minutos
- 2

6	pimientos (capsicums) verdes medianos
1	huevo grande, ligeramente batido
1/2	taza (125 ml) de leche
2/3	taza de migas suaves de pan
1	cebolla, finamente picada
1	cucharadita de sal
1/4	cucharadita de pimienta
1	cucharada de salvia fresca, finamente picada
1	kilogramo (2 lb) de carne de res, molida
4	tazas (800 g) de jitomates de lata, con su jugo
1/2	cucharadita de sal de ajo
1	cucharadita de hojas de orégano fresco
8	hojas de albahaca fresca, troceadas
500	gramos (1 lb) de spaghetti
1	cucharada de aceite de oliva extra virgen

1. **Cocine** los pimientos en una olla grande con agua hirviendo con sal durante 5 minutos. Escurra y deje enfriar ligeramente. Retire los tallos y las semillas de los pimientos.
2. **Precaliente** el horno a 190°C (375°F/gas 5).
3. **Mezcle** el huevo con la leche, migas de pan, la mitad de la cebolla, la mitad de la sal, la pimienta y la salvia en un tazón hasta integrar por completo. Añada la carne y mezcle ligeramente.
4. **Rellene** los pimientos con la mezcla de carne. Acomode los pimientos en un refractario.
5. **Mezcle** los jitomates con la cebolla, sal de ajo, orégano y albahaca restantes en un tazón mediano. Usando una cuchara coloque la mezcla alrededor de los pimientos en el refractario.
6. **Hornee** de 45 a 60 minutos, hasta que los pimientos estén suaves y la carne esté cocida.
7. **Cocine** la pasta en una olla grande con agua hirviendo con sal hasta que esté al dente. Escurra y mezcle con el aceite.
8. **Acomode** el spaghetti sobre seis platos de servicio. Cubra cada porción con un pimiento y bañe con la salsa. Sirva caliente.

Si a usted le gustó esta receta, también le gustarán:

orecchiette con salsa de pimiento asado

penne con pimientos al horno

budines fritos de spaghetti

Si prefiere preparar un platillo más ligero, espolvoree los moldes con queso pecorino rallado y pan molido y hornee a 200°C (400°F/gas 6) alrededor de 40 minutos o hasta que se dore. Desmolde y sirva.

Rinde 6 porciones
1 hora 30 minutos
30 minutos
70 minutos
3

- 250 gramos (8 oz) de spaghetti delgado o pasta vermicelli
- 1/4 taza (60 g) de mantequilla
- 1/2 taza (60 g) de queso pecorino recién rallado

SALSA

- 1 taza (150 g) de chícharos congelados
- 3 cucharadas de agua
- 1 1/2 cucharada de mantequilla, cortada en trozos
- 1 cucharada de cebolla, finamente picada + 1/2 cebolla, finamente picada
- 1/2 cucharadita de azúcar
- Sal
- 3 cucharadas de aceite de oliva extra virgen
- 150 gramos (4 oz) de carne de res molida
- 1/4 taza (60 ml) de vino tinto seco
- 1 cucharada de jitomate en pasta (concentrado) disuelto en 1 taza (250 ml) de caldo de res hirviendo
- Pimienta negra recién molida
- 1/2 cucharadita de orégano seco
- 60 gramos (2 oz) de queso provolone, cortado en cubos pequeños
- 3 huevos grandes, ligeramente batidos
- 1 taza (125 g) de pan finamente molido
- 4 tazas (1 litro) de aceite de oliva, para freír

1. **Cocine** la pasta en una olla con agua hirviendo con sal hasta que empiece a estar al dente. Escurra y mezcle con la mantequilla y el queso pecorino hasta integrar por completo.
2. **Engrase** cuatro moldes de aluminio o para soufflé de 7 cm (3 in). Usando una cuchara coloque suficiente pasta para cubrir el fondo y las paredes de los moldes, dejando el centro vacío.
3. **Para preparar la salsa,** mezcle los chícharos con el agua, mantequilla, una cucharada de la cebolla picada, azúcar y sal en una sartén grande sobre fuego medio. Tape y cocine a fuego lento durante 5 minutos, hasta que estén suaves.
4. **Caliente** el aceite en una sartén grande sobre fuego medio-alto. Añada la carne y saltee de 7 a 10 minutos, hasta que se dore. Vierta el vino y deje que se evapore. Agregue la pasta de jitomate disuelta en el caldo. Sazone con sal, pimienta y orégano y cocine a fuego lento durante 30 minutos. Integre la mezcla de los chícharos y deje enfriar.
5. **Rellene** los moldes con un poco de la salsa de carne y el queso provolone. Cubra con la pasta restante, presionando para sellar. Deje reposar durante 30 minutos.
6. **Desmolde** cuidadosamente los moldes de spaghetti sobre una tabla. Sumerja cuidadosamente en el huevo batido y posteriormente en el pan molido.
7. **Caliente** el aceite para freír en una freidora o una olla para fritura profunda colocada sobre fuego medio. Fría los budines de spaghetti en tandas de 5 a 7 minutos cada una. Voltee una vez, hasta que estén dorados y crujientes. Retire de la freidora con ayuda una cuchara ranurada, escurra y seque sobre toallas de papel. Sirva caliente.

spaghetti con pollo y espinaca al horno

Éste es un platillo muy sustancioso que le gustará a toda la familia. Se puede preparar con anticipación y hornearlo en cuanto llegue a su casa.

Rinde 6 porciones

30 minutos

75 minutos

1

- **300** gramos (12 oz) de spaghetti
- **10** dientes de ajo
- **2** cucharadas de aceite de oliva extra virgen
- **1** cebolla morada, picada
- **4** medias pechugas de pollo, deshuesadas, sin piel y picadas
- **4** tazas (800 g) de jitomates de lata, con su jugo
- Hojas de albahaca fresca
- **¼** cucharadita de sal
- **1** chile seco pequeño, desmoronado
- **¼** taza de perejil fresco
- **1½** taza (185 g) de queso parmesano recién rallado
- **4** tazas (200 g) de espinaca fresca
- **1** taza (120 g) de queso cheddar fuerte recién rallado

1. **Cocine** el spaghetti en una olla grande con agua hirviendo con sal hasta que esté al dente. Escurra y reserve.
2. **Precaliente** el horno a 200°C (400°F/gas 6).
3. **Machaque** 6 dientes de ajo. Caliente el aceite en una sartén grande sobre fuego medio. Añada el ajo y la cebolla y saltee de 3 a 4 minutos, hasta que estén suaves. Agregue el pollo y saltee alrededor de 5 minutos, hasta que se dore.
4. **Pique** los jitomates, albahaca, sal, chile, perejil, los 4 dientes de ajo restantes y el queso parmesano en un procesador de alimentos, hasta obtener una mezcla gruesa y con trozos.
5. **Integre** con la mezcla de pollo. Hierva a fuego lento durante 15 minutos. Retire del fuego. Integre la espinaca y la pasta.
6. **Pase** la mezcla a un refractario grande. Espolvoree la superficie con el queso. Hornee de 25 a 30 minutos. Sirva caliente.

Si a usted le gustó esta receta, también le gustarán:

fettuccine con pollo en salsa picante

46

penne con jitomates cereza

140

conchiglie rellenas de espinaca con salsa de jitomate

212

Índice

Q

R

S